KB103685

당신의 은행가는 시간을 저금해드립니다

당신의 은행가는 시간을 저금해드립니다

발 행 | 2024년 06월 25일
저 자 | 뱅대리
펴낸이 | 한건희
펴낸곳 | 주식회사 부크크
출판사등록 | 2014.07.15.(제2014-16호)
주 소 | 서울특별시 금천구 가산디지털1로 119 SK트윈타워 A동 305호
전 화 | 1670-8316
이메일 | info@bookk.co.kr

ISBN | 979-11-410-9115-6

www.bookk.co.kr

당신의
은행가는
시간을 저금해
드립니다

뱅대리 지음

현직은행원 뱅대리가 알려주는 은행 활용법

[당신의 은행가는 시간을 저금해 드립니다]

- 목차 -

CHAPTER 3. 친절한 뱅대리의 '대출상식'

(1)대출관련 필수 상식
(2)신용대출 필수 상식
(3)전세대출 필수 상식
(4)주택 담보대출 필수 상식
(5)개인 사업자 대출 필수 상식

CHAPTER 4. 여러분의 은행가는 시간을 저금해드립니다
(You tube 채널 뱅대리 'Q&A 모음집')

(1)전세대출 (버팀목, 은행전세대출) 관련 BEST Q&A
(2)청년전용 버팀목 관련 Q&A
(3)중기청 버팀목 관련 Q&A
(4)신혼부부 버팀목 관련 Q&A
(5)디딤돌 대출 관련 Q&A
(6)신생아 특례대출 관련 Q&A
(7)주택담보대출 관련 Q&A
(8)자산심사 관련 Q&A
(9)최신 개정된 내용 Q&A (2024년 4월 현재)

CHAPTER 5. 은행원의 판도라 상자 (Off the record)

(1)대출 승인확률 높이는 방법
(2)은행 대기시간 줄이는 방법
(3)은행 방문횟수를 줄이는 방법
(4)은행원의 실적권유 기분 안 나쁘게 거절하는 방법
(5)불친절한 은행원에게 감정싸움 안 하고 대처하는 방법
(6)대출 거절을 당했다면 꼭 알아야 하는 세 가지
(7)은행원 티 안나게 괴롭히는 방법
(8)고객이 가장 많이 하는 착각 세 가지
(9)앞에 고객이 없는데 은행원이 손님을 안 받는 이유
(10)은행원 친구를 두면 좋은 이유
(11)본인들만 모르는 은행원이 싫어하는 손님 유형
(12)대출 이자 깎는 정석

CHAPTER 1. 모르면 손해 보는 은행 사용법

(1) 은행과 친하지 않은 부자는 없다

본인이 돈을 벌고 싶다면 무조건 은행과 친해져야 합니다. 그 이유가 궁금하세요? 은행은 돈이 오고 가는 장소이고 자본주의의 상징 그 자체이기 때문입니다. 은행을 통해 돈의 흐름과 정보를 알고, 그것을 최대한 이용해야만 본인의 자산증식을 효율적으로 할 수 있습니다. 만일 그런 것을 하기 싫다면?? 그렇다면 본인의 돈을 땅속에 묻어놓는 것과 다를 바가 없습니다. 그렇게 되면 세상에 있는 모든 물건의 가격이 올라가는 동안 당신의 돈은 냉동인간처럼 그 가치에만 머무를 수밖에 없게 됩니다. 운동선수가 되고 싶으면 운동장에서 땀을 흘려야 하고, 공부를 잘하고 싶으면 도서관에 가야 하잖아요? 마찬가지로 돈을 벌고 싶다면 은행과 친해져야 합니다. 예금, 환전, 대출, 투자까지 은행에서 하는 모든 업무는 돈을 활용하는 일들입니다. 무슨 말인지는 알겠는데 어떻게 하는지 방법을 잘 모르시겠나요?? 그렇다면 지금부터 은행이라는 도구를 활용하여 돈을 모을 수 있는 방법을 알아보도록 하겠습니다.
10년 동안 은행이라는 조직 안에서 수천명의 오고 가는 고객들을 만났습니다. 그리고 제가 확신하며 말씀드리고 싶은 이야기를 한번 더 강조하고 싶습니다.

‘단언컨대 이 세상에 은행과 친하지 않은 부자는 없습니다’

(2) 은행은 당신이 생각하는 착한 조직이 아니다

일단 이 글을 읽는 독자 분들에게 은행이 어떤 조직인지 그 생태계를 간단하게나마 꼭 알려주고 싶습니다. 간혹 몇몇 고객 분들은 은행원을 공무원이라고 착각하고 계시는 경우가 있습니다. 은행이란 조직이 어느 정도 사회에서 공적 지원 역할을 하는 것은 사실이지만 한국은행, 산업은행, 기업은행 등 목적이 분명한 특수은행을 제외하고 우리가 대부분 이용하는 국민은행, 신한은행, 우리은행 등의 시중은행들은 상업은행입니다. 상업은행은 이름 그대로 보통의 다른 기업들과 마찬가지로 장사를 해서 돈을 버는 것을 목적으로 하는 기업입니다.

'은행원은 사회의 공적 업무를 수행하는 공무원 같은 역할이다'라고 인식하는 부분과 실제로는 상담과 영업을 통해 수익을 만들어야 하는 영리단체라는 괴리감은, 고객과 은행원 모두에게 생각보다 꽤 많은 영향을 미칩니다.

이 부분에 대해서 은행원 입장에서 장점과 단점을 말해보겠습니다.

단점은 영리를 추구하는 조직의 영업사원에게 따듯한 온정을 호소하는 분들이 많다는 점입니다. 이렇다 보니 회사 입장에서 리스크 관리를 하면 오히려 힘들때 우산을 뺏어간다는 욕을 먹기도 하고, 금리가 올라가면 본인들이 내는 이자가 고스란히 은행원 호주머니에 들어온다고 생각을 하면서 분노하시는 것 같습니다. 하지만, 장점도 있습니다. 기본적으로 사람들이 은행이라는 조직에 대해 신뢰감을 가지고 있으므로 은행원의 말을 신뢰하고 의지합니다.

이 타이밍에서 제가 독자님들에게 하고 싶은 말의 핵심 포인트 입니다.
'삼성이 갤럭시 폰을 팔고 현대가 자동차를 팔듯이, 은행원도 은행에서 '팔아야 수익이 나는 상품'을 판매하는 영리조직의 조직원이라는 사실을 잊지 마세요'

(3) 은행원 말을 다 믿지 마라

"믿지 말라고요? 그럼 여태 내가 가입했던 상품과 대출들은 다 자기네들 좋다고 권유한 건가요?"
위에서도 언급했지만 은행원은 상품판매가 월급과 직결되는 프리랜서가 아니라 그냥 직장인입니다. 본인이 속한 조직의 본사에서 밀어주는 상품을 그 시기에 판매해야만 하고, KPI라는 달성목표 때문에 아침저녁으로 지점장실에 불려가서 실적을 요구당하는 포지션의 직장인! 그래서 가지고 있는 자료도! 해야 하는 동기부여나 목표까지도 모두 이 안에서 실행해야 합니다. 한 가지 진실을 더 알려드리자면, 은행원 중에 고객들이 기대하는 그 분야의 스페셜리스트는 거의 없다 라고 보셔도 과언이 아닙니다. 기본적으로 은행원이 가지고 있는 자격증은 상품 판매를 할 수 있는 자격증이 대부분입니다. 당신의 자산을 모두 맡길 수 있는 전문가 수준의 은행원은 몇 군데 특화된 지점의 직원들 말고는 거의 없다는 것이 지금 은행원들의 현주소 입니다.

"아니 은행원이 그럼 그 정도 전문성이 없어도 되는 겁니까??" 라고 물으신다면, 그 이유는 은행에서 해야 하는 업무의 범위는 다른 기업과는 비교가 되지 않을 정도로 너무 방대하기 때문입니다. 영업, 대면상담, 마케팅, 사무, 심지어 전화 문의 등 다른 기업에서는 각각의 부서에서 하는 일들을 영업점의 은행원들은 전부 혼자서 그 일을 다 해야만 합니다.

결론적으로 이번 챕터에서 제가 하고 싶은 말은 은행원은 'General리스트이지 Special리스트가 아니라'는 말입니다. 그렇기 때문에 자신의 자산을 맡길 때 은행원에게 모든 것을 의존하고 맡겨버려서는 안 됩니다.
"그러면 어떻게 해야 하나요?"
먼저 어느 정도 스스로 공부해야 합니다. 예금, 대출, 투자 상품등 본인이 많이 알고있는 상태에서 은행 방문을 해야만 결과적으로 더 많이 얻어갈 수 있습니다. 그런 노력 없이 앞에 있는 금융전문가처럼 보이는 은행원에게 모든 것을 위임해버린다면 그 결과와 책임까지도 모두 고스란히 본인의 몫이 된다는 사실을 잊지 말아야 합니다.

(4) 이 상품은 무조건 가입해야 한다.

은행에서 우선적으로 꼭 가입해야 하는 상품들은 정답이 정해져 있습니다. 만일 본인이 처음 은행거래를 시작하거나 무엇부터 거래를 해야할지 잘 모르겠다면, 지금부터 얘기하는 것부터 본인의 포트폴리오를 채워나가길 추천합니다.
바로 정부 정책상품들입니다.
그 예시가 바로 주택청약 종합저축, 청년희망적금. 청년도약계좌, 재형저축 등이 있습니다. (최근 출시된 청년 주택드림 청약통장도 포함입니다)
이런 정책성 상품들의 경우는 은행에서 상품을 판매하긴 하지만 나라의 재원으로 큰 이율 등의 혜택을 주는 복지성 상품들이기 때문입니다. 대부분 청년들과 무주택자, 사회초년생들에게 해당이 되는 상품들이긴 하지만 본인이 해당이 된다면 일단 먼저 만들어 놓을 것을 추천합니다. 이런 상품들은 정부가 만든 상품이기 때문에 추후에 이 상품을 활용할 수 있는 정책들이 일반적으로 나오게 되어있습니다. 그러면 추후에 다른 혜택을 볼 수 있는 기회도 있기 때문에 우선적으로 이 상품들을 본인의 포트폴리오에 넣어두어야 합니다.

그렇다면 이런 정책성 상품이 아닌 다른 예, 적금 상품을 가입해야 한다면 어떤 기준으로 찾는 것이 좋을까요?
당시의 본인의 상황에 따라 가장 유리하게 은행을 이용할 수 있는 선택을 하는 것이 현명하다고 생각합니다. 본인이 그냥 높은 이자를 받는 것이 목표라면 5천만원 까지는 금융기관별로 예금자보호가 되기 때문에 2금융권에 높은 금리를 받는 것이 낫습니다. 보통은 시중은행보다 2금융권의 정기예금이율이 훨씬 더 높기 때문입니다.

하지만, 추후에 본인이 주거래로 사용하는 은행에서 마이너스통장이라도 만들 계획이 있다고 한다면, 적금 금리가 조금 낮더라도 대출을 받을 때 감면되는 우대금리를 생각해서 그 주거래 은행을 이용하는 것이 유리합니다. 여기서 말하는 주거래 은행이란 '직장인에게는 급여가 들어오는 것을, 사업자에겐 매출이 입금되는 통장'을 말합니다.

(5) 좁고 깊게 보다는 얇고 넓게

"아니 내가 이 은행만 20년을 거래했는데!!"

은행 업무를 하다 보면 이런 볼멘 소리하는 고객들을 자주 목격할 수 있습니다. 이런 분들은 자본주의 관점에서 볼 때 정말 순진 하신 분들이라고 볼 수 있습니다.

조금 죄송한 얘기지만 현실적으로 말씀드리자면 입출금통장 거래만 해주시는 고객들은 은행입장에서는 마이너스 수익률을 주는 고객입니다. 그리고 야속하게 들릴지 모르겠지만 은행은 오랜 시간 거래해준 고객을 VIP라고 생각하지 않습니다. 더 많은 수익을 안겨 줄 수 있는 고객을 VIP라고 생각합니다. 더 많은 돈을 맡기고 더 많은 돈을 빌려 가는 고객을 VIP라고 생각합니다.
왜 아직도 은행 창구에 손님이 이렇게 많은데 디지털화 라는 명분으로 지점을 줄여나가고 있는지 생각해보면 제가 말씀드린 내용이 이해가 갈 것입니다.
그러면 꼭 돈이 엄청 많은 사람만 은행에서 주는 혜택들을 누릴 수 있는 것일까요?
반드시 그런 건 아닙니다. 시중은행이 9곳이나 되는 우리나라는 서로의 고객을 뺏고 빼앗기는 생태계에서 생존해야 하는 과제를 안고 있습니다. 그렇기 때문에 아예 새로운 거래를 할 수 있는 고객에게 많은 혜택을 제공하고 있습니다. 본인이 은행에 유리한 조건으로 거래를 하고 싶다면, 현재 가지고 있는 거래조건을 새로운 곳으로 옮기면 됩니다.

만일 그런 여건이 안 된다면? (예를 들면 회사에 급여를 주는 은행이 정해져 있다던가) 이 경우 은행에서 본인이 혜택을 받을 수 있는 최적화된 전략을 알려드리겠습니다.
'최대한 얇고 넓게 포트폴리오를 펼치는 것입니다'
예를 들어 적금에 한 달에 백만원씩 저금을 하고 있다면, 적금 20만원, 청약 20만원, IRP 20만원 등 얇고 넓게 펼쳐놓는 것이 한 은행에서 본인의 거래등급을 올리고 은행으로부터 받을 수 있는 우대혜택을 넓힐 수 있는 방법입니다. 간혹 어떤 분들은 혹시 몰라서 A은행에 청약 , B은행에 대출, C은행에 예금 이런 식으로 분산을 시켜놓는 분들이 있는데, 이런 케이스가 가장 손해 보는 행동을 하고 있다고 볼 수 있습니다.

핵심내용을 두 줄로 마무리 하겠습니다.
첫째, 은행은 20년 동안 출근 도장을 찍으며 입출금하는 손님보다, 이곳에서 처음 시작을 해보려는 고객을 더 좋아 합니다.
둘째, 한 은행에서 최대한 포트폴리오를 넓게 펼쳐서 거래를 하는 것이 본인에게 유리합니다.

CH2. 최소한의 자본주의 사용법

(1)제자리 멀리뛰기 vs 도움닫고 멀리뛰기

부자가 되기 위해서 은행을 이용하는 방법은 크게 두 가지가 있습니다. 이해를 돕기위해 학창시절 멀리뛰기를 예시로 들어보겠습니다. 모두가 알다시피 멀리뛰기 종류에는 제 자리 멀리 뛰기와 도움 닫고 멀리뛰기 2가지가 존재하는데, 은행의 도움을 받는 방법도 이 두 가지와 비슷한 원리라고 생각하시면 됩니다.

1)제 자리 멀리 뛰기

예금과 적금 등이 이 방법입니다. 이 밖에 신탁, 채권 등이 이런 방법에 포함될 수 있지만 예,적금 등이 가장 많이 보편적으로 사용하는 방법이다. 은행의 예금과 적금 금리는 기준금리 상황에 따라 바뀌지만 최근 10년 동안 1%~4% 정도의 수준을 벗어난 적이 없습니다. 옛날 80년대 90년대에는 은행 금리가 10%가 넘는 금리 황금기 시절이 있었습니다. 그때는 은행에만 돈을 넣어도 충분히 도움 닫아 멀리뛰기 수준이 되었겠죠. 하지만 지금은 그렇지 않습니다. 이런 과거의 금리 황금기를 겪었기 때문에 아직도 우리 부모님 세대들은 은행이 가장 안전하게 돈을 맡길 수 있는 곳이라고 생각하고 있습니다.

2)도움 닫고 멀리뛰기

은행의 도움을 받아 더 멀리 도약할 수 있는 가장 심플한 방법은 한마디로 대출입니다. 먼저 왜 도움 닫고 멀리뛰기를 해야 하는지 간단한 설명을 해보겠습니다. 화폐의 가치는 계속 떨어지기 있기 때문입니다. 가장 쉬운 예시로 제가 초등학교 때 천원이던 짜장면이 이제 만원 가까운 가격이 되어있는 것을 보면 알 수 있습니다. 지금의 돈의 가치가 10년 뒤에는 더 떨어진 가치로 평가받게 되는 것이 현실입니다. 그렇기 때문에 우리는 벼락 거지가 되지 않으려면 집이든 금이든 가치가 상승할 수 있는 자산을 사야만 합니다. 그리고 이 자산을 사기 위해서는 돈이 있어야 하는데, 이 돈을 마련하는 방법이 두 가지가 있습니다. 하나는 직장에서 노동력을 통해 돈을 모으는 방법이고 또 다른 한 가지는 은행의 도움을 받아 대출을 받는 방법입니다.

1억원 가격의 자산을 구입하려고 적금을 통해 5년이라는 시간 동안 돈을 모은 사람과 은행의 대출을 이용해 1년 만에 그 자산을 얻게 된 사람은 원하는 것을 얻은 결과가 같을지라도 무려 5년이라는 시간의 격차가 발생하게 되는 것입니다.

(2)대출은 양날의 검

"대출은 나쁜 거야. 그거 받다가 인생 망한다"

이 말을 해준 사람은 저의 중학교 사회과목 선생님이었습니다. 당시 저의 기억에 교단에서 수업시간 도중에 다른 친구들에게도 이 말을 하셨던 것으로 기억을 합니다. 이것만 보더라도 어쩌면 지금 우리 세대는 금융 문맹이 될 수밖에 없는 환경에서 자란 것 같습니다.

현직 은행원으로 대출업무를 담당하고 있지만 저는 대출이라는 것이 날카로운 칼과도 같다고 생각합니다. 칼은 누구 손에 쥐어지냐에 따라 다르게 사용됩니다. 맛있는 요리를 만드는 도구가 될 수도 있고 다른 사람을 해치는 흉기가 될 수도 있죠.
누구 손에 쥐어지냐에 따라 도구가 되기도 하고 때로는 흉기가 될 수도 있는 상황인데, 이 칼 자체를 나쁜 것이라고 단정 지어 말할 수 있을까요??

우리는 자본주의 사회 시스템 안에서 살아가고 있습니다. 자본주의라는 울타리 안에서 살고자 한다면 우리는 이 질문의 근본 자체를 바꿔야 합니다.
"대출을 이용해야 하나 말아야 하나" 가 아닌,
"어떻게 대출을 이용해야 할까"가 우리가 진정 고민해야 하는 질문이라고 할 수 있습니다. 대출은 자본주의 시스템 아래 자산증식을 위해서는 꼭 이용해야 하는 필수 아이템이기 때문입니다.

그럼 이제부터는 언제, 어떻게 이 필수 아이템을 써 먹어야 하는지에 대해 말해보도록 하겠습니다.

(3)레버리지의 마법

뱅대리는 올해로 마흔 살이 되었습니다. 인생의 반환점 정도의 나이가 되다 보니 여태 살아온 과정의 결과물들이 점점 주변인들과 비교가 되기 시작했습니다.

과거 13년 전, 신입사원 연수원에서 만난 20대 후반의 뱅대리 동기들은 지금 이제 모두 마흔 살 중년의 아저씨, 아줌마가 되었습니다. 우리는 같은 월급을 받고 같은 조직에서 세월을 보냈지만 현재의 결과물을 보면 자산의 크기에 꽤 많은 편차가 발생했습니다. 그 이유는 무엇일까?
처음에는 이유를 모르니 금 수저, 흙 수저 하는 생각만 하면서, 그런 친구들을 마냥 부러워만 했었습니다. 돈 버는 재주나 행운이 있는 사람은 따로 있다고 생각하며 혼자 자기위안을 했던 시간들이 많았습니다. 하지만, 10년이 지난 지금 가장 확실한 차이점을 한 가지 알게 되었습니다. 그것은 바로 레버리지(대출)의 마법을 이해하고 사용한 자와 그렇지 않은 자의 차이였습니다. 레버리지가 얼마나 무서운 마법인지 이해를 돕기 위해 사례를 하나 소개하고 싶습니다.

다음은 뱅대리가 10년 동안 지켜본 두 입사 동기의 사례입니다.
뱅대리의 입사 동기 A와 B는 똑같이 받은 월급의 200 만원씩을 악착같이 3년간 모았습니다. 그리고 똑같은 해에 결혼을 했습니다. A는 그동안 모아둔 돈에 2억 정도를 대출

받아 서울 상암동에 5억짜리 집을 샀습니다. B는 대출비용을 아끼기 위해 회사에서 제공하는 임차 사택에 계속 거주하며 월 200만원씩을 모아 나갔습니다.
A는 그 후에도 본인이 가진 신용대출 등 레버리지를 계속적으로 활용하며 상가와 분양권 투자 등으로 본인의 자산을 불려 나갔고, B는 꾸준히 돈을 모았지만 2년마다 갱신되는 임차보증금으로 보태다가 어느덧 시간이 흘렀습니다.
그렇게 10년의 시간이 흘렀고 두 동기는 아직 까지 같은 회사에 다니며 같은 직급을 가진 직장인입니다. 하지만 달라진 것이 있다면 A는 100억원의 자산가가 되어있었고, B는 올라버린 전세보증금을 감당할 수 없어서 조금 떨어진 수도권 지역으로 이사를 다니는 처지가 되어있었습니다. 참고로 현재 B가 모아둔 자산은 지금 전세집의 전세보증금 2억원이 전부였습니다.
제가 동기 2명의 사례를 통해 말하고 싶은 핵심 내용은 동기 A가 B보다 특출나게 인생을 열심히 살아서 이런 격차가 벌어진 것이 아니라는 점입니다. B의 경우 레버리지는 위험의 전유물이라 생각하여 전혀 이용하지 않았고, A는 진작에 레버리지의 이점을 활용해 왔기 때문에 이만큼의 격차가 벌어지게 된 것입니다.

이해를 돕기 위해 방금 말씀드린 사례가 은행을 가장 잘 활용할 수 있는 방법! 즉, 레버리지의 마법입니다.

(4)인생은 타이밍

취업, 연애, 결혼 등 인생을 살다보면 그 시기에 해야 하는 주요 이벤트들이 있습니다. 이 사이클을 생애주기라고 표현합니다. 이 생애주기에 맞춰 자산증식을 위해 최선의 레버리지를 선택을 할 수 있는 시기도 역시 따로 있습니다. 뱅대리가 생각하는 최고의 시기와 선택의 기준은 '그때가 아니면 할 수 없는 것'이라고 생각합니다. 시간은 흘러버리면 돌이킬 수가 없기 때문에, 그 순간에 할 수 있는 선택들을 해야만 나중에 후회를 덜 하게 됩니다.

제가 은행에서 10년간의 경험으로 알게 된 노하우를 통하여 생애주기에 맞추어 선택의 도구를 활용할 수 있는 구체적 방법을 소개해 보겠습니다.

1) 대학생이라면 [청약 저축, 이벤트 적금]

학생 때는 가진 돈이 없습니다. 그래서 도전해 볼 수 있는 옵션도 거의 없습니다. 그러므로 먼저 종잣 돈을 모으는 것이 가장 중요하다고 할 수 있겠습니다. 종잣돈을 모으는 방식은 적금, 펀드, 주식 등 개인 성향에 따라 다양할 수 있지만 은행 안에서의 방법을 위주로 설명하겠습니다.

학생은 소득 자체가 많지 않기 때문에 이벤트성으로 나오는 고금리 적금을 활용하는게 좋습니다. 이때 중요한 것은 적금의 기간을 짧게 하는 것이 좋습니다. 적금의 이율 차이는 눈에 보이는 만큼 그 결과가 크지 않기 때문에 중도 해지를 하는 것 보다 만기도래를 통해 본인의 습관과 성취감을 얻는 것이 이 시기에는 정말 중요하다고 생각합니다. 예를 들어 3년 적금이 4%, 6개월 적금이 2%라고 한다면 저는 6개월 적금만기를 추천합니다. 적금이든 예금이든 중간에 해지하면 받는 이자율은 보통 0.1%가 되지 않으며, 적금을 만기까지 가져가는 고객은 통계적으로 100명중 5명이 채 되지 않기 때문입니다. 상대가 학생이어도 은행은 결코 손해 보는 장사를 하지 않습니다.

2) 청년이라면 [청년전용 버팀목, 청년 전월세 보증부 대출, 청년희망적금, 청년도약계좌]

현재 대한민국에서 청년이란 타이틀은 하나의 특권이라고 볼 수 있습니다. 국가에서 청년들에게 재정적 지원을 아끼지 않고 있기 때문입니다. 일단 본인이 만 34세 이하의 청년이라면 은행과 정부에서 출시하는 '청년'이 들어간 상품은 기본적으로 모두 가입하여 포트폴리오를 구성하는 것이 좋습니다. 청년도약계좌, 청년희망적금. 청년주택드림 청약통장등이 있습니다.

게다가 현재 청년들을 대상으로 판매하는 청년전용 버팀목 대출, 청년전용 월세대출등 연이자 1~2%대의 대출 상품들이 존재하기 때문에, 본인이 조금만 관심을 가지면 주거비용을 획기적으로 더 줄일 수 있습니다.

(뱅대리 TIP)
은행에서는 대출을 받을 때 이자를 상환할 수 있는 능력을 점검합니다. 대학생이나 청년은 다른 자격조건이 되어도 이 부분에서 거절될 수 있습니다. 이 때 아르바이트를 하더라도 4대 보험이 되는 곳에서 일을 하게 된다면 그 소득을 인정받아 은행에서 진행하는 저금리 대출을 신청할 수가 있게 됩니다. 이왕 하는 아르바이트라면 이런 부분들을 숙지하고 시작하면 도움이 됩니다.

3) 취업을 한다면 [중소기업 취업청년 대출 + 청년 내일채움공제]

청년 내일채움공제 그리고 중소기업취업청년 대출 상품을 잘 활용해야 합니다.
본인이 대기업에 취업을 했다면 근로소득만으로 돈을 모을 수 있겠지만, 대기업이 아닌 회사에 취업을 했다면 이 중소기업 청년대출을 활용하여 주거비를 절감해야 합니다.(부모님 집에서 출퇴근하는 사람은 제외). 그리고 회사에 적극적으로 요청하여 청년내일채움공제와 같은 상품들을 통해 종잣 돈을 모아야 합니다. 참고로 이런 부분도 회사에 적극적으로 요청하지 않으면 진행해주지 않는 곳도 많습니다. 이런 제도와 대출만 잘 이용하여도 정부와 회사의 지원금을 받으면서 안정적으로 200%이상의 수익률을 가져갈 수 있기 때문입니다.

4)결혼을 한다면 [신혼부부 버팀목 전세 대출 , 신혼부부 + 생애최초 내집마련 디딤돌 대출]

대한민국 정부가 적극적으로 도와주는 사람들이 청년과 신혼부부들입니다. 보통 결혼을 준비하면서 가장 고민이 되는 부분 주거문제이기 때문입니다. 그리고 이 부분을 해결할 수 있는 것이 '신혼부부버팀목전세대출'과 '생애 최초/신혼부부 디딤돌대출' 상품입니다. 집을 매매하던지 전세로 들어가던지 주거문제로 고민 하고 있는 신혼부부들에게 2%대의 저금리 상품이 존재하는 것은 그들에게 천군만마와 같은 일입니다. 그러므로 이 상품을 적극 활용 해야만 합니다. 참고로 은행에서 대출을 진행할 때, 신혼부부의 정의는 혼인신고 후 7년까지입니다.

5)자녀 계획이 있다면 - [신생아 특례 디딤돌/버팀목 대출]

대한민국의 현재 가장 큰 문제는 바로 저출산문제 입니다. 현 정부도 이 부분을 해결하지 못하면 나라가 망한다는 걸 알고 있습니다. 그렇기 때문에 필사적으로 각종 공약과 정책들을 내놓고 있습니다. 이미 시행된 제도 말고도 제 생각에는 자녀를 낳으면 받을 수 있는 혜택들이 당분간은 넘쳐날 것으로 보입니다.

가장 최근에 시행된 '신생아 특례 디딤돌/버팀목 대출'이 그 출발선이 될 것으로 보입니다. 아쉬운 것은 너무 신생아의 범위가 최근 2년으로 한정되었다는 사실입니다. 본인이 기존에 받은 대출도 갈아타기가 가능하니 해당이 되는 분들은 꼭 신청하는 것이 좋습니다.

6)무주택자라면 [버팀목 전세대출, 내집 마련 디딤돌대출]

무주택자라면 버팀목 전세대출 그리고 내 집 마련 디딤돌 대출상품을 활용하여 주거사다리를 타야만 합니다. 일반적으로 은행 대출금리와 2배 이상 차이가 나기 때문입니다.
거기다가 생애 최초로 집을 사는 거라면 현재 집값의 최대 80% 까지도 대출이 가능 합니다. 다른 투자를 생각하고 있더라도 이 부분을 고려하여 계획을 실행하는 것이 유리합니다. 무주택자에게만 주어지는 혜택을 충분히 누리면서 다른 자산을 구입할 수 있는 계획을 세워야 합니다.

CHAPTER 3. 친절한 뱅대리의 대출상식

대출 상담에 필요한 기본 상식과 개념만 알고 있어도 은행 업무뿐만 아니라 본인의 남은 인생을 살아가는데 큰 무기가 될 수 있습니다.
은행 상담창구에 앉는 것이 두렵지 않을 만큼!
본인의 미래를 위해 은행을 활용할 수 있을 만큼!
더도 말고 덜도 말고 딱 그 단계까지, 뱅대리가 쉽고 친절하게 설명 해드리겠습니다.

(1) 대출관련 필수 상식

1)대출의 종류

"대출하러 왔어요"
"어떤 종류의 대출 상담을 도와드릴까요?"
"그건 모르겠는데요. 그냥 000원이 필요해서 왔어요"
간혹 아무 준비 없이 대출을 받으려고 무작정 오시는 분들이 있습니다. 본인이 어떤 목적으로 어떤 대출을 받는 것이 유리할지 정도는 생각하고 은행에 오셔야 좀 더 본인에게 유리한 상담이 가능합니다. 개인이 받을 수 있는 대출의 종류는 크게 3가지로 분류할 수 있습니다. 신용대출, 전세대출, 담보대출이 있습니다

2)대출 금리 기본개념

금리란 빌린 돈에 붙는 이자 즉, 이자율을 말합니다. 우리가 내고 있는 이자율은 은행에서 이렇게 산출이 됩니다.

<u>기준금리 + 가산금리 - 우대금리</u>
하나씩 설명을 드리자면 한국은행에서 기준금리를 정하지만 이 기준금리도 은행마다 차이가 있습니다.

기준금리의 종류가 여러 개 있는데 그 중에서 은행마다 어떤 것을 선택하느냐의 차이가 있기 때문입니다.(기준금리 예시 : KORIBOR, COFIX , CD, 금융채) 시기적으로 어떤 기준금리를 선택하는지에 따라도 1%가까운 차이가 나기도 하니 선택 가능한 기준금리를 모두 설명해달라고 하는 것이 좋습니다.

그리고 가산금리는 은행의 재량이라고 볼 수 있습니다. 이 가산금리는 보통 고객마다 차이가 있는데 위험도, 법적 비용, 이익 등의 종합적인 요인으로 평가합니다. 보통은 가계대출 보다는 사업자나 법인대출에서 가산금리를 본사와 조정하는 협상을 할 수 있습니다.
마지막으로 우대금리는 이 은행과 어떤 거래를 하고 있느냐에 따라 할인이 적용되는 선택의 영역입니다. 급여, 카드, 청약 등 거래를 할 수 록 우대받을 수 있습니다.
이러한 구성으로 최종금리가 산출이 되기 때문에 은행마다 금리가 다르게 됩니다.

대출금리의 종류는 3가지입니다.

고정금리, 변동금리, 혼합금리로 구성됩니다.

고정금리의 경우 대출 실행일부터 만기까지 동일하게 유지되며 금리가 상승하는 시점에 유리합니다. 매달 이자액이 똑같이 나가므로 계획을 세우기도 좋습니다.
변동금리의 경우는 3개월,6개월 등 변동되는 기간이 기준금리 선택에 따라 다릅니다.
금리가 하락하는 시점에 유리합니다.
혼합금리의 경우는 고정금리와 변동금리 방식이 결합된 형태이며 보통은 고정금리로 3년 혹은 5년 뒤 변동금리로 바뀌는 구조로 되어 있습니다.
많은 분들이 "고정금리와 변동금리 중 뭐가 더 유리한가요?" 라고 물으시는데 여기에는 정답이 없습니다. 금리는 생물처럼 움직이기 때문에 그 시기에 따라 맞는 선택을 해야 유리합니다. 다만, 일반적으로 고정금리가 변동금리보다 조금 더 비싼 이율로 책정이 되기 때문에 기간을 5년 이상 가져가는 대출이 아니라면 중간에 바꾸더라도 변동금리가 당장은 유리하다고 볼 수 있습니다. 어차피 신용대출이나 전세대출의 경우는 2~3년 안에 중도상환 수수료도 면제되고 사용하는 기간도 길지 않기 때문입니다.
주택담보대출도 내가 그 집에 5년 넘게 오래 살게 아니고 중간에 매매 계획이 있다면 굳이 처음부터 좀 더 비싼 고정금리를 선택할 필요는 없습니다.

(3)대출 상환방법 선택하기

대출을 상환하는 방법. 즉, 이자를 납부하는 방식을 선택하는 것도 전략이 필요합니다. 상환방식은 중간에 변경이 되지 않기 때문에 은행원이나 남들이 시키는 방식을 그냥 따를 것이 아니라 본인에게 적합한 방식을 찾아서 신중하게 선택할 필요가 있습니다. 총 4가지의 방법이 있습니다. 원금 균등, 원리금 균등, 만기일시, 체증식 상환입니다.

①원금 균등 상환방식
원금을 만기까지 똑같이 나눈 후에 매달 남아있는 원금에 이자가 붙는 방식
초반에 이자부담이 상대적으로 크지만 전체적으로 봤을때 은행에 내는 이자액은 가장 적은 방식입니다.

②원리금 균등 상환방식
만기 시점까지 원금과 이자의 총액을 균등하게 나누는 방식으로 매달 갚는 돈이 똑같습니다. 초반에 이자 부담이 원금균등보다 적지만 전체적으로 봤을 때 은행에 내는 이자는 더 많습니다.

③체증식 상환방식
체증식 상환방식은 정책 상품인 디딤돌 대출과 보금자리론에서만 적용되며 그 중에서도 만40세 미만 근로자에게만

해당 됩니다.
대출 초기에는 이자만 내다가 점차 원금비중이 늘어나는 방식으로 초반 이자부담을 덜고 싶은 사람들에게 추천되는 방식입니다. 또한, 몇 년 정도 뒤에 집을 매매할 예정이라면 그 기간 동안 이자 부담을 최대한 덜 가져가실 분들에게 적합합니다.

④만기일시 상환방식
이자만 납부 하다가 최종적으로 모든 금액을 만기에 납부하는 방식을 말합니다. 현재 주택담보대출에는 만기일시상환방식이 존재하지 않습니다. 다만 전세대출, 신용대출, 사업자대출 등에서 쓰이고 있습니다.
단, 디딤돌 대출과 보금자리론 같은 정책성 상품에는 1년간 이자만 낼 수 있는 거치식 기간을 설정 할 수 있습니다.)

4)대출 준비서류 및 발급방법

4-1) 준비서류

①신용대출 준비서류

재직증명서(=건강보험자격득실확인서)

근로소득원천징수영수증(2P연근납부금액필)

(근무기간2년미만인 경우 월별소득확인자료 필요,

갑종근로소득 원천징수 영수증 또는 급여명세서 전체내역 직인 필수)

② 전세대출 준비서류

모든 서류는 1개월이내 발급분, 주민등록번호 다 보이게 발급

재직증명서 (직인날인) OR 사업자등록증

원천징수영수증 (직인날인)OR 소득금액증명원(홈텍스)

(근무기간2년미만인 경우 월별소득확인자료 필요,

(재직일~현재까지) 갑종근로소득 원천징수영수증 (소득자별근로소득원천징수부) 직인 필수

또는 급여명세서 전체내역 직인 필수)

전세계약서, 주택임대차 계약신고필증(확정일자번호)

* 연장시는 새로 쓴 계약서

주민등록등본, 가족관계증명서 상세 (주민번호 전체 기재)

주민등록초본 (주민번호변동내역, 주소변동내역 모두 포함)

계약금 납입영수증 (5%이상)

해당주택 등기부등본

4대보험 가입내역서 (www.4insure.or.kr)

건강보험자격득실확인서(전체내역), 건강보험납부확인서 (최근12개월분) 1577-1000

혼인관계증명서 (결혼 7년이내 신혼가구만 해당) -> 보증료 할인

신분증

12. 배우자 방문 + 신분증

13. 다가구- 건축물관리대장, 건축물현황도(배치도 및 평면도:주택면적표시/또는 설계도)

* 미등기인 경우 (분양계약서,입주안내문,사용승인서) / 실행 당일 잔금완납확인서필요

* 매매계약서 (임대인 바뀌는 경우)

③전세대출 (버팀목 대출)

모든 서류는 1개월이내 발급분, 주민등록번호 다 보이게 발급

1. 재직증명서 (직인날인) OR 사업자등록증

2. 원천징수영수증 (직인날인)OR 소득금액증명원(홈텍스)

(근무기간2년미만인 경우 월별소득확인자료 필요, 언제부터 언제까지의 소득인지 기재,

(재직일~현재까지) 갑종근로소득 원천징수영수증 (소득자별근로소득원천징수부) 직인 필수

또는 급여명세서 전체내역 직인 필수)

3. 전세계약서 , 주택임대차 계약신고필증(확정일자번호)

(LH 의 경우, 계약사실확인원도 필요)

4. 계약금 납입영수증 (5% 이상)

5. 해당 주택 등기부등본

6. 주민등록등본 (주민번호 전체 기재)

7. 주민등록초본 (주민번호변동내역, 주소변동내역

모두 포함)

8. 가족관계증명서 상세

9. 건강보험자격득실확인서(전체내역)

10. 4대보험 가입내역서 (www.4insure.or.kr)

11. 건강보험납부확인서 (최근12개월분) 1577-1000 - 근무 1년 미만시

12. 혼인관계증명서 (결혼 7년이내 신혼가구만 해당)

13. 신분증

13. 다가구 - 건축물관리대장, 전입세대열람내역서

14. 급여타행 수령시 - 급여이체내역

15. 신규 LH인 경우, 임시사용승인서 (사용승인일로부터 1년 미만이어야함)

중소기업 취업청년가구인 경우,

-고용보험가입이력내역서(근로자용)

-소속기업의 사업자등록증 (사본)

-주업종코드 확인서 (자유양식/소속기업 도장날인)

소속기업에서 국세청 사이트를 통해 주업종코드(6자리) 확인 후 확인서 발급 또는 별도 회사직인 날인할 필요없이 국세청사이트에서 주업종코드 화면 출력으로 대체도 가능 (■ 주택기금부, 2018.11.01. 메일)

신혼가구 : 혼인관계증명서, 배우자 등본/초본, 배우자 재직증명서/원천징수영수증, 건강보험자격득실확인서, 신분증 (배우자도 내점해야함)

배우자 내점 : 재직서류, 소득서류, 건강보험자격득실확인서, 신분증

④ 아파트 담보대출 필요서류

모든 서류는 1개월 이내 발급분, 주민등록번호 다 보이게 발급

1. 재직증명서 (직인날인) OR 사업자등록증

2. 원천징수영수증 2개년치 (직인날인)OR 소득금액증명원 (홈텍스)

(근무기간2년미만인 경우 월별소득확인자료 필요,

(재직일~현재까지) 갑종근로소득 원천징수영수증 (소득자별근로소득원천징수부) 직인 필수

또는 급여명세서 전체내역 직인 필수)

3.건강보험자격득실확인서(전체내역),건강보험납부확인서 (최근12개월분) 1577-1000

4. 매매계약서(매매하는 경우) OR 등기권리증 (등기필정보)

5. 해당주택 등기부등본

6. 해당주택 전입세대열람내역서 (실행전/후) - 주민센터

7. 주민등록등본 (실행전/후)

8. 주민등록초본 (주민번호변동내역, 주소변동내역 모두 포함)

9. 가족관계증명서

10. 인감도장, 인감증명서 (본인 발급)

11. 신분증

12. 세대원 모두 방문 필요 + 신분증

*경매자금시

12.매각허가결정통지서

13.입찰보증금 납부영수증 (법원보관금 영수필통지서 및 영수증서)

*공동명의 확인 / 초본.인감증명서.인감도장.신분증 필요

*보금자리론 상담)주택금융공사 콜센터 1688-8114

⑤ 내집마련디딤돌 (생애최초 포함) 대출 필요서류

모든 서류는 1개월이내 발급분, 주민등록번호 다 보이게 발급

재직증명서 (직인날인) OR 사업자등록증

원천징수영수증 2개년치 (직인날인)OR 소득금액증명원(홈텍스)

(근무기간2년미만인 경우 월별소득확인자료 필요,

(재직일~현재까지) 갑종근로소득 원천징수영수증 (소득자별근로소득원천징수부) 직인 필수

또는 급여명세서 전체내역 직인 필수)

매매계약서

해당주택 등기부등본

해당주택 전입세대열람내역서

주민등록등본

주민등록초본 (주민번호기재, 주소변동내역 모두 포함)

건강보험자격득실확인서(전체내역), 건강보험납부확인서 (최근12개월분) 1577-1000

가족관계증명서

혼인관계증명서 (결혼 7년이내 신혼가구만 해당)

인감도장, 인감증명서 (본인 발급)

신분증

13. 배우자 내점 : 재직서류, 소득서류, 건강보험자격득실확인서, 신분증

14. 청약저축가입확인서 (직인날인, 해당주택 당첨해지시 당첨해지사실이 나오게)

4-2) 서류 발급하는 방법

1.주민등록 등,초본 - 정부24/동사무소/동사무소 무인발급기

2.가족관계증명서 - 대법원사이트/동사무소/동사무소 무인발

급기

3.건강보험관련 서류 -국민건강보험공단 고객센터 1577-1000 /THE 건강보험 app/직접방문

4.소득금액증명원 -국세청 홈택스/ 세무서 발행

5.갑종근로소득 원천징수영수증 - 회사요청/ 회사 거래중인 세무사요청

6.근로소득 원천징수영수증 - 회사요청

7.등기부등본 - 인터넷 등기소

8.전입세대열람내역서 - 동사무소 (다른 지역 동사무소 방문시 임대차계약서 필요)

9.고용보험가입이력내역서 - 근로복지공단 토탈서비스

10.4대보험 가입내역서 - 4대사회보험 정보연계센터 홈페이지

11.주업종코드확인서 - 회사요청 (홈택스 확인가능하나 회사직인포함해야함)

12.건축물관리대장 - 정부24, 인터넷 등기소, 무인발급기

13.건축물관리대장 도면 - 소유자가 구청에 요청해야 가능 (다가구(원룸) 건물의 경우

5) 알고 있으면 도움 되는 사이트

-개인대출 관련-

공시지가 확인 http://www.realtyprice.kr

국토교통부 http://www.molit.go.kr/

KB시세 http://nland.kbstar.com/

기금E든든 https://ehufnet.molit.go.kr/

한국주택금융공사 https://hf.go.kr/

주택도시보증공사 https://khug.or.kr/

KCB신용평가 http://www.credian.co.kr/

NICE신용평가 http://www.nicecredit.co.kr/

정부24 http://www.gov.kr/

대법원 전자가족관계시스템 http://efamily.scourt.go.kr/

홈텍스 https://www.hometax.go.kr/

건강보험공단 http://hi.nhic.or.kr/

국민연금공단 http://www.nps.or.kr/

은행연합회 http://bizinfo.kfb.or.kr/

금융위원회 http://www.fsc.go.kr/

인터넷 등기소 http://www.iros.go.kr/

-사업자 대출 관련-

소상공인진흥원 http://www.seda.or.kr/

신용보증기금 https://www.kodit.co.kr/

신용보증기금 영업점 찾기 http://kodit.chzero.com/main.jsp?menu=1

지역신용보증재단 영업점찾기

https://koreg.or.kr/haedream/cm/cntnts/cntntsView.do?mi=1136&cntntsId=1077

기술보증기금 https://www.kibo.or.kr/

---

(2)신용 대출 필수 상식

1)신용대출 이해하기

신용대출은 말 그대로 신용이 가장 중요합니다. 그리고 그 신용을 구성하는 가장 큰 요인은 본인의 회사, 소득 그리고 신용점수입니다. 이 세 가지가 기본요소라고 할 수 있으며, 이 밖에 거래 은행과의 지속성 및 은행 거래실적에 따라 금리와 한도가 산출됩니다.

2)신용대출 똑똑하게 받는 방법

신용대출은 은행마다 종류와 상품이 전부 다릅니다. 물론 주거래로 이용하는 은행에서 하는 것이 유리한 것이 일반적이지만 꼭 그렇지만도 않습니다. 신규 고객을 유치하기 위해 은행에서 특정 상품을 더 좋은 금리와 한도로 프로모션을 하는 경우도 있기 때문입니다. 이런 시기적 상황을 잘 이용하면 상대적으로 좋은 조건에 대출이 가능할 때가 있습니다. 이런 특별한 케이스가 아니라면 보통신용대출을 받을 때는 은행 선별이 아닌 자기객관화가 먼저 선행 되어야 합니다.

본인이 재직하는 회사가 은행과 협약 되었는지, 나의 직업이 전문직인지, 소득과 신용점수가 몇 점인지, 내가 카드를 얼마나 쓰는지, 집을 보유하고 있는지 등 이런 자기파악이 먼저 되어있으면 은행원에게 본인에게 가장 유리한 조건의 상품을 추천받을 수 있습니다.

3)신용대출 '한도/금리/상환방법'

위에서 언급한 상품의 다양성으로 인하여 같은 스펙이어도 은행마다 한도와 금리가 크게 다를 수 있습니다. 여기서는 이해를 돕기 위해 가장 일반적인 이야기를 하겠습니다. 신용대출의 한도는 보통 소득을 기반으로 나옵니다. 연소득과 신용점수의 합산으로 평균 이상의 신용등급이라면 본인의 연소득만큼 한도 산정이 됩니다. 이때 신용점수는 외부 신용평가기관(NICE,KCB) 혹은 은행내부 신용평가점수인 CSS 점수 중 하나로 판단하게 됩니다. 이건 상품에 따라 다르게 적용되므로 본인에게 유리한 기준을 알고 있어야 합니다. 외부신용등급이 아무리 좋아도 지금 거래 은행에 히스토리가 없는 분들은 내부 신용등급이 좋지 않기 때문입니다.

신용대출은 상환하는 방법은 크게 3가지로만 설명 드리겠습니다. 만기일식/한도식/분할상환입니다. 분할 상환이야 원금과 이자가 함께 나가는 방식이니 설명을 생략하고, 만기일시와 마이너스 통장에 대한 차이를 설명 드리겠습니다. 가령 천 만원을 대출받았다고 한다면 만기 일시방식은 내 통장에 천 만원이 들어오는 구조입니다. 0원이 1000만원이 되면서 그 천만원에 대한 이자를 매달 납부하게 됩니다. 그리고1년마다 연장심사를 받게 됩니다. 마이너스 통장(한도대출)의 경우는 0원이 -1000만원이 되는 구조입니다. 내가 돈이 하나도 없어도 사용이 가능해 지며 천만원 내에 사용한 금액만큼만 이자를 내게 되어있습니다. 당연히 쓰는 만큼만 이자를 내므로 마이너스 통장을 많이 선호하시는 편이지만 마이너스 통장은 보통 다른 상환방식보다 금리가 0.5%정도 높은 편입니다.

4)마이너스 통장 활용방법

마이너스 통장은 신용대출의 한 부분입니다. 상환방식의 차이 일뿐 실생활에 유용하게 쓰이기 때문에 인기가 많습니다.

마이너스 통장은 이런 때 사용해야 합니다!

-단 기간만 대출을 사용하고 바로 갚을 수 있을 때 (중도상환수수료X)

-청약에 당첨 되서 계약금을 필요로 할 때

-생활비 통장 용도처럼 유기적으로 입금과 출금이 가능할 때

하지만, 이런 경우 마이너스 통장은 독이 될 수 있습니다.

-전체 사용 중 1년뒤 기간연장 시점에 상환요구를 받을 경우

-바로 상환 할 자금이 아닌데 마이너스 통장을 사용한 경우

-그냥 여유자금으로 만들어 놓았는데 추후 다른 대출에 발목 잡히게 되는 경우

독이 되는 세 번째의 경우에 대해서만 조금 부연설명을 하겠습니다.

현재 개인대출을 받는데 가장 큰 장벽은 DSR이라는 규제입니다. 뒤에 다시 말하겠지만 소득대비 부채의 비율이 어느 정도를 초과하면 대출이 불가한 규제인데요. 이때 부채의 비율을 왕창 잡아 먹는게 이 마이너스 통장입니다. 비록 사용하지 않고 개설만 해놓아도 전부 부채로 보기 때문에 추후 주택 담보대출 등 다른 큰돈을 사용할 계획이 있다면 신중하게 개설해야 합니다.

5)뱅대리의 신용대출 BEST Q&A

5-1) 전세대출이나 담보주택을 받을 때 신용대출도 함께 받을 수 있나요?
-가능합니다. 다만, 순서적으로 신용대출을 먼저 받아야 합니다. 전세대출이나 담보주택을 받을 때 최종적으로 신용대출부채도 합산되어 승인을 받아야 하기 때문입니다.

5-2)주부나 무소득자도 마이너스 통장 개설이 가능할까요?
-상황에 따라 가능합니다. 다만, 소득증빙이 안 되는 주부나 무 소득자는 개설 가능한 상품이 거의 없습니다. 본인이 집을 소유하고 있다거나, 신용카드를 많이 사용 한다던가 그런 특화된 상품이 있는 은행을 발품을 팔아 찾아야 합니다.

5-3)신용점수는 어떻게 하면 올릴 수 있나요?
-먼저 가장 하고 싶은 말은 신용점수는 올리는 건 정말 어렵지만 내리는 건 순간입니다. 그래서 어떻게 하면 신용점수가 내려가지 않는지부터 말씀드릴게요.
현금서비스와 카드론 사용을 금기해야 합니다. 현금서비스 사용을 하는 순간부터 급전이 필요한 사람이라고 판단하기 때문에 신용점수가 급격하게 떨어집니다. 그리고 소액이더라도 연체를 해서는 안 됩니다. 연체는 은행과의 약속을 지키지 않은 것이기 때문에 신용점수하락은 물론 추후 은행거래에도 제한이 생기게 됩니다.
반대로 신용점수를 올리려면 성실한 금융거래를 통해 다시 신뢰를 쌓아가야 합니다.

떨어지는게 10점씩이라면 올리는 속도는 1점씩이라고 볼 수 있습니다. 좀 더 빠른 신용점수 상승을 원한다면 외부신용등급 관리 기관인 NICE, KCB 고객센터에 전화를 해서 본인이 왜 점수가 하락했는지 이유를 묻고 그 부분을 보완하는 방법이 지름길입니다.

(3)전세 대출 필수 상식

1)전세 대출 종류 이해하기

전세대출종류는 크게 두 가지로 나눌 수 있습니다. 국가(기금)의 재원으로 취급하는 버팀목 대출과 은행 재원으로 취급하는 은행 전세대출입니다.

대상에 해당만 된다면 버팀목 대출로 하는 것이 금리적 으로 매우 유리합니다. 보통 버팀목 대출은 2%대의 확정금리로 가능합니다. 고정금리라고 오해하시는 분들이 있는데 국토교통부에서 고시되는 금리에 따라 일괄변동이 가능한 금리라 서 확정금리라는 표현을 쓰고 있습니다. 은행 전세대출의 경우 변동금리가 대부분이기 때문에 금리 인상기와 인하기에 따라 차이가 큰 편이며 금리 인하기에도 버팀목 대출보다는 금리가 높은 편입니다. 또한, 은행거래실적에 따른 우대금리가 적용되므로 부수 거래를 하지 않으면 최대 1% 이상 금리가 높아지게 되는 특징이 있습니다.

이 두 개의 차이를 알았다면 일단 무조건 버팀목 대출이 되는지부터 알아봐야겠죠? 은행 전세대출은 그 대상에 해당이 되지 않을 때 신청하시면 됩니다.

2)버팀목 대출 종류 이해하기

버팀목 대출은 크게 다섯 가지의 종류가 있습니다(금리 낮은순)

①중소기업 취업청년 (중기청)

②청년 전용

③신혼가구

④2자녀 이상 가구

⑤일반 가구

(※중소기업 청년 대출과 청년 전용대출은 청년 전용 대출로 2024년 4월부로 통합됩니다)

이 다섯 가지 모두가 버팀목 대출입니다.
본인이 무주택인 것이 확인되었으면 그 다음으로 이 다섯 가지 중에 구체적으로 어떤 종류의 버팀목 대출에 포함되는

지 확인해야 합니다.
(참고로 중기청 대출의 경우는 중소기업에 취업한 청년 외에도 창업을 한 청년도 포함됩니다.)

버팀목 대출은 평균 2%대의 금리로 보증금의 70%(청년, 신혼, 다자녀는 80%)까지 대출한도가 가능 합니다.(가능하다의 의미이지 전부 된다 라는 의미가 아닙니다) 자격 조건이 되는 분들은 본인의 소득과 임차보증금에 따라 차등된 금리가 적용됩니다.
그리고 이 버팀목 대출의 경우도 은행 재원의 전세대출과 마찬가지로 보증기관의 보증서를 담보로 은행에서 취급을 해주는 상품입니다.
전세대출을 보증해주는 기관은 총 3곳이 있습니다.
한국주택금융공사, 도시주택보증공사, 서울보증보험이 있습니다.

3)전세대출 보증기관의 특징

①한국주택금융공사(HF)

- 소득에 기반 하여 대출한도가 산출 된다 (연소득의 3.5배 정도)

- 임대인의 동의가 필요 없이도 가능하다

- 임대인이 법인이어도 가능하다(단, 주택임대업을 영위하는

법인일 것)

- 미등기 주택, 신축건물도 문제없이 가능하다

- 보증 한도가 상대적으로 적은편이다

※뱅대리 요약: HF는 다른 보증기관보다 신경 쓸 것이 적고 활용범위가 넓습니다. 그리고 소득을 기반으로 보증서 한도가 정해지기 때문에 부실률도 상대적으로 적은 편입니다. 이러한 이유로 대부분의 은행에서도 HF 보증서를 고객에게 우선적으로 추천하고 있습니다.

②도시주택보증공사(HUG)

- 안심전세대출로 불린다

- 소득이 없어도 최대 대출한도까지 가능하다

- 전세반환보증보험 가입이 가능해야만 한다

- 개인 임대인만 가능하며 법인 임대인은 불가하다(하지만, 공공 임대주택은 가능하다)

- 신용점수가 중요하다. 신용점수에 따라 대출 한도가 차등된다.

- 청년과 신혼부부의 경우 은행재원 안심전세대출은 보증금의 90%까지 가능하다.

- 중기청 안심대출의 경우 1억원 범위내 100% 대출도 가능하다.

※뱅대리 요약: HUG 안심전세대출은 가장 인기가 많은 대출입니다. 소득이 부족한 고객들이 대부분 HUG를 원하기 때문입니다. 다만, 그만큼 은행에서는 부실과 사고가 많이 나는 대출이기도 하기 때문에 HUG를 기피합니다. 상환할 능력이 부족해도 대출이 많이 나가기 때문에 어쩌면 필연적인 결과인거죠. 고객은 HUG대출을 원할 경우 이 조건들을 충족해서 은행에 오셔야 합니다. 전세반환보증보험이 가입 가능한 물건과 개인 임대인 마지막으로 본인의 신용점수 관리와 은행원이 납득할 수 있을 만큼의 이자상환능력이 있어야만 합니다.

③서울보증보험(SGI)

- HF, HUG는 공기업이고 SGI는 사기업

-보증금에 상한선이 없다

-최대 대출금액 5억원까지 가능

-개인 신용점수가 중요하다

-금융비용부담률만 통과하면 된다.(HF보다 소득대비 한도가 훨씬 많이나온다)

-신고소득(카드사용액)등의 사용이 가능하다

-임대인의 동의가 필요하다 (질권 설정이 필수인 상품이다)

-서울보증보험 보증서는 보증료를 은행이 부담 한다

※뱅대리 요약: 서울보증보험은 민간기업이므로 버팀목 대출 상품에서는 사용할 수 없는 보증기관입니다. 상대적으로 다른 보증기관에 비해 금리도 높은 편이기 때문에 높은 보증금의 집에 많은 한도를 원할 때 필요한 보증서입니다. 특히, 다른 보증기관에서는 사용이 불가능한 신고소득(신용카드 사용액)을 활용할 수 있다는 점이 특징입니다.

4)유주택자의 전세대출 방법

1주택자의 경우 버팀목 대출은 이용 불가능합니다. 하지만, 은행재원의 전세대출은 이용가능 합니다. 정책적인 규제에 따라 1주택자도 부부합산 연소득이 1억원을 넘으면 불가할 때도 있었지만 지금 현재는 다시 규제가 풀린 상태입니다. 다만, 가지고 있는 1주택이 9억원 초과의 아파트 이거나 투기과열지구에 3억원 초과 아파트를 매수한 경우이면 불가하다는 단서조항만이 현재 남아있습니다.
 2주택자 이상의 경우는 1금융권에서는 전세대출이 불가합니다. 다만, 2금융권에서는 다주택자도 전세대출이 가능합니다. 앞서 말씀드린 보증기관의 보증서가 아닌 제2금융권 자체의 전세대출로 실행되기 때문입니다. 만일 본인이 다주택자라면 2금융권 전세대출을 활용하는 것도 방법입니다.

5)보증금을 지키는 방법

 최근 전세 사기 이슈가 사회적으로 문제가 되고 있습니다. 그리고 본인의 전세보증금을 지키기 위한 사람들의 관심이 부쩍 많아졌는데요. 본인의 전세보증금을 지키기 위한 장치는 크게 2가지가 있습니다.

첫 번째는 전세반환보증보험
두 번째는 전세권설정등기

전세반환보증보험의 경우는 HUG와 HF 두 기관에서 가입이 가능합니다.
보증을 해주는 기관의 차이만 있으며 보증료율은 HF가 조금 더 저렴합니다. 대신 HF 반환보증보험 상품 (전세지킴보증)의 경우는 버팀목 대출 HF 보증서로 가입을 한경우에 그 관리점에서만 가입이 가능합니다. 두 상품 모두 인터넷 , 은행 영업점, 보증기관에서 가입 가능합니다.

-반환보증 가입준비서류(아파트 기준)-

1.임대차계약서(확정일자)

2.전입세대열람내역서

3.주민등록 등본

4.보증금 수령 및 이체 영수증

5.부동산 등기부등본

6.(아파트 아닌 경우)건축물관리대장

반환보증보험 가입이
7.(임대인이 법인인 경우) 법인등기부등본, 사업자등록증, 인감증명서

두 번째는 전세권설정등기입니다.
부동산 등기부등본상에 전세권을 설정하여 보증금을 보호받는 방법입니다.
이 경우 오히려 보증보험보다 적은 비용으로 본인의 보증금을 보호받을 수 있는 장치입니다. 다만, 임대인들이 본인 집 등기부등본에 전세권설정등기가 되는 흔적이 싫어서 꺼려하는 경우가 많습니다. 신청을 하는 방법으로는 법무사사무실에 신청하는 게 일반적입니다.

6)뱅대리의 전세대출 BEST Q&A

6-1)전세대출을 받을 때 계약부터 대출까지 진행 순서가 궁금합니다.
-순서를 정리해 드리겠습니다.
①부동산을 통해 이사 가려는 집을 찾는다
②계약금을 넣기 전 그 물건지와 임대인 정보, 본인 소득정보를 가지고 은행에
상담을 받으러 간다
③만일 은행에서 심사시 계약서를 필수로 요구한다면 특약사항(전세 부결시 계약금 반환)을 넣은 가계약서를 작성해서 간다.
④은행에서 대출의 가부여부와 한도 및 금리를 상담한다
⑤정식 계약을 하고 중도금을 넣는다.
⑥이삿날 대출 잔금을 치룬다

계약서 작성부분에 대한 문의가 많아 조금 부연설명을 드리겠습니다.
생각보다 꽤 많은 분들이 계약하기 전에 은행에 와서 대출가능여부에 대한 확답을 요구합니다. 하지만, 은행에서는 그 계약의 불발 여부에 대한 리스크를 부담하지 않기 때문에 현재시점 에서의 가심사만 가능합니다. 그리고 보다 정확한 심사를 위해서는 필수로 대출 계약서가 필요합니다. 고객입장에서는 계약금을 집주인에게 보내고 난 뒤 계약이 틀어

지면, 계약금을 받을 수 없기 때문에 고객님과 은행이 서로 상생하기 위해서는 특약사항에 이런 내용을 명시 하는 것이 좋습니다.

'대출이 승인되지 않을 시 계약금을 반환 해준다'
그렇게 계약서와 본인의 소득정보 자료를 가지고 오면 대략적인 한도와 금리 그리고 가부여부를 알 수 있습니다.

6-2)근저당권 설정이 어느 정도 있으면 전세대출이 안 되는 건가요?
-근저당권 설정이 되어있다고 하여 전세대출이 불가능한 것은 아닙니다. 다만, 근저당권설정이 과다하면 은행 입장에서 추후 채권을 보전하는 것이 불리하기 때문에 기피하는 것입니다. 그러면 은행에는 어떤 물건을 가져가야 할까요? 근저당권 설정이 과다하다의 기준은 집의 가격과 연관이 있습니다. 기본적인 산식은 이렇습니다. 전세보증금 + 근저당 설정금액이 주택가격의 90%보다 작아야 합니다. 여기서 주택가격은 일반적으로 KB시세를 말하지만 아파트가 아닌 경우 공시지가나 분양가등 다른 기준으로 확인하기도 합니다.
 여기서 실무적으로 한 가지 더 내용을 말씀드리자면 요즘은 이런 상황을 알고 임대인과 부동산이 저 산식에 딱 맞게 계약을 해서 가지고 오는 경우가 많습니다. 이런 경우 추후 대출 연장시점에 연장이 안 됩니다. 그래서 은행에서는 보증금과 근저당설정액이 주택가격의 80%정도 안에 들어오는 물건을 취급하는 걸 원칙으로 합니다.

6-3)대상이 안 되는데 버팀목 대출을 꼭 받고 싶습니다. 뱅대리님의 꿀 TIP이 혹시 있을까요?

-사실 자격 조건 자체가 안 되는 분들의 대출을 가능하게 만들 수는 없습니다. 하지만, 약간의 전략 수정만으로도 더 많은 한도와 낮은 금리를 만들 수 있는 기회는 있습니다. 제가 상담을 진행하며 쌓아온 노하우를 몇 개 알려드릴게요.

①반전세도 가능합니다.

버팀목 대출의 자격 조건 마지노선 임차보증금이 초과 되어 일반 전세대출로 진행을 하시게 되면 금리가 2배가 되는 상황인데, 이때 월세를 몇 만원 더 주더라도 보증금을 대출 자격 조건에 맞게 조정이 가능하다면 버팀목 대출로 진행이 가능합니다. 가령 청년 버팀목을 받고 싶은데 임차보증금 3억 5천을 요구하여 자격조건인 3억이 초과된다면 3억/5만원 식의 반전세 계약서를 작성해오시면 진행이 가능 합니다.

②소득이 부족하다면 HUG

보증기관이 HUG면 소득에 상관없이 원하는 한도가 가능합니다. 하지만, 여기서 넘어야할 산이 2개 있습니다. HUG 대출을 받으려면 보증보험 가입이 가능한 물건과 임대인이어야 하기 때문에 그런 물건을 찾아야 하고, 최종적으로 은행에서 OK싸인이 나야합니다. 아무런 소득이 없거나 너무 적다면 다른 조건이 맞아도 은행에서는 채권보전을 이유로 취급을 꺼릴 수 밖에 없습니다. 이 부분은 실무자의 판단의 영역이기 때문에 본인으로서는 이자를 상환할 수 있다는 증빙내역을 최대한 준비해 가셔서 어필하셔야 합니다. 가령 이렇게 해도 취급을 안 해준다면 해당 은행의 거래를 늘리는 방향으로 서로간에 협상을 하시는 방법을 추천 드립니다.

③재직기간이 너무 짧아요 OR 무직이에요
무직 혹은 1개월의 소득이 없는 직장인은 최대 대출한도가 3300만원입니다. 본인이 버팀목 전세대출을 받아야 할 계획이 사전에 있다면 4대보험이 되는 회사에서의 1개월 이상의 재직기간과 1개월치의 급여를 미리 만드셔야 합니다. 버팀목 대출은 1개월 소득도 연 환산이 가능하기 때문입니다. 1개월 급여가 300만원이라고 친다면 이런 계획을 준비한 사람과 아닌 사람의 대출 한도 차이는 무려 1억원이 넘게 차이나기 때문입니다.

(4)주택담보대출 필수 상식

1)주택담보대출 종류 이해하기

은행에서 취급하는 주택담보대출의 종류는 정책상품인 ①내집마련 디딤돌대출 ②보금자리론 ③금리 고정형 적격대출과 ④은행 주택담보대출로 나눌 수 있습니다. 앞서 말씀드린 ①번~③번은 국가의 정책상품이자 고정금리 상품입니다. ④번 은행 주택담보대출 상품은 각 은행마다 다른 이름의 상품으로 판매되고 있습니다.

①내집마련 디딤돌 대출

-현재 가장 금리가 저렴한 상품으로 기금이든든 사이트 혹은 은행창구에서 접수가 가능합니다. 무주택자이며 연소득 6천이하 (신혼은8.5천). 전용면적 85이하등의 자격을 갖추면 신청 가능합니다. 신혼부부, 생애최초, 청약저축가입등의 세부조건을 통해 한도와 금리가 다릅니다.

②보금자리론

주택금융공사의 상품으로 신청접수와 심사를 주택금융공사에서 진행합니다.

디딤돌 대출과 다르게 무주택자 및 1주택자도 처분조건으로 진행이 가능합니다. 고정금리 상품으로 시중은행 금리보다 통상 0.5%~1%정도 저렴하며 디딤돌대출과 동일하게 DSR적용을 하지 않습니다. 주택가격 6억원, 소득 기준은 부부합산 7천만원 이하(신혼부부 8500만원,1자녀 8천만원, 2자녀 9천만원, 3자녀 1억원)입니다

③금리 고정형 적격대출

현재 한시적으로 판매가 중단되어 있습니다. 보통 은행에서 심사 및 취급까지 모두 진행을 하며 금리 인상기에 매력적인 상품입니다. 은행마다 분기별 한도가 정해져 있어서 금리 인상기에는 분기 초에 한도가 빠르게 소진됩니다. 소득

에 제한이 없으며 9억원 이하 주택까지 가능합니다. 또한, 신용카드 사용액 등의 신고소득도 사용할 수 있는게 장점입니다. 하지만, 디딤돌대출, 보금자리론과 다르게 DSR 적용이 되며 선순위 근저당이 있으면 불가능합니다.

④은행 주택담보대출
은행 주택담보대출의 경우 변동, 고정, 혼합형 금리 중 선택을 할 수 있습니다. 그리고 앞서 말씀드린 소득의 종류도 모두 사용 가능하고, DSR 외 다른 규제도 전부 적용됩니다. 은행 주택담보대출의 경우 각 은행마다 상품 구조와 특성이 상이하기 때문에 주거래 은행뿐만 아니라 타 은행도 본인에게 유리한 상품이 있는지 살펴볼 필요가 있습니다.

2)주택담보대출의 두 가지 용도

주택담보대출을 받을 때 가장 먼저 질문 받는 것은 자금용도입니다.
용도는 크게 2가지로 분류할 수 있습니다. 구입자금 용도와 생활안정자금 용도입니다.

①구입자금 용도
말 그대로 집을 구입 할 때 받는 용도입니다. 보통은 집을 사면서 소유권을 이전하고 근저당을 설정하기 때문에 대부분 구입용도는 당일날 이 모든 것이 이루어집니다. 예외적인 경우 소유권을 이전하고 3개월 이내 까지는 구입자금용

도로 대출이 가능합니다.

②생활안정자금 용도
구입자금을 제외하고는 모두 생활안정자금 용도라고 보면 됩니다. 의료비, 교육비,갈아타는 대출, 전세보증금 반환자금 모두 여기에 해당 됩니다. 생활안정자금으로 대출을 받아 집을 구입하는 사람들 때문에 많은 규제가 생겼기 때문에 생활안정자금 대출을 받을 땐 이 부분을 잘 확인하고 받으셔야 합니다.
다주택자의 경우는 최대 2억까지만 받을 수 있으며 전세보증금 반환자금만 예외사항으로 그 이상 가능한 상태입니다.

3)주택담보대출 필수용어 TOP5

①LTV(집 가격 대비 받을 수 있는 대출가격) - Loan To Value
현재 집의 가격 대비하여 받을 수 있는 비율을 말합니다. LTV는 국가의 정책적인 규제로 정책에 따라 변동될 수 있습니다. 현재는 생애최초 구입자는 80%, 무주택자는 70%, 1주택이상인 사람들은 60%입니다.

②DSR(총 부채 원리금상환비율=소득 대비 모든 대출의 원리금 상환능력) -Debt to Ratio
주택담보대출, 기타대출(신용대출, 비주택 담보대출) 원금+

이자를 연소득으로 나누어 비율을 산정합니다. DTI만 보던 예전보다 좀 더 대출 받기가 어려워 진 이유가 바로 이 DSR규제 때문입니다. 현재 가계대출 총액이 1억원을 넘었을 경우 DSR이40%를 넘으면 대출을 받을 수가 없게 되어 있습니다. 참고로 2금융권의 경우 DSR 규제가 50% 까지로 조금 더 완화되어 있습니다.

③DTI(총 부채상환비율 =소득 대비 부채를 상환할 수 있는 능력) - Debt to Income
주택담보대출의 원금 +이자와 기타대출(신용대출, 비주택담보대출) 이자를 연소득으로 나누어 비율을 산정합니다. 정책상품 디딤돌과 보금자리론은 DSR을 보지 않지만 DTI 요건을 맞추어야 합니다. DTI는 DSR보다는 맞추기가 덜 까다로운 편입니다.

④스트레스 DSR(기존 DSR + 일정 가산금리)
스트레스는 최근 2024년 2월 시작 되었고, 앞으로 점진적으로 확대 시행되어 2025년에는 완전히 자리를 잡게 된다. 고정금리를 제외한 모든 변동금리 상품의 한도를 구할 때 기존 DSR에 일정수준의 가산금리를 더하여 산정하게 되는 것입니다.
 스트레스 DSR의 결론은, 기존의 DSR보다 훨씬 더 대출한도가 적게 나온다는 것이 포인트입니다. 이해를 돕기 위해 예시를 들자면, 연봉 5천만원 직장인이 영끌하여 3억의 주택담보대출을 받을 수 있었던 구조가 스트레스 DSR의 도입으로 2억 5천 정도로 줄어들 예정입니다.

⑤ MCI/MCG란 (방 공제 보험)
행에서는 주택담보대출을 받을 때 나중에 집이 경매에 넘어갔을 때 세입자가 있을 시 채권보전을 대비하여 방 개수만큼 대출 한도에서 공제를 합니다.(아파트는 방 1개, 단독주택의 경우 방개수 모두를 차감하기도 합니다. 참고로 방1개 값은 지역마다 차등이 있습니다. 예를 들면 서울은 5500만원, 지방은 2500만원등)

예시를 들어 보겠습니다. 가령 지방에 1억인 아파트를 살 때 70% LTV가 적용된다면 7천만원이 최대 대출 한도 이지만 여기서 방 공제를 하게 된다면 2500만원을 차감하여 실제로 받는 대출 한도는 4500만원이 되게 됩니다. 이 때 최대한도를 받기 위해 '방 한 칸 차감한 금액 만큼을 보험에 가입하는 것이 MCI'입니다.
개념은 똑같지만 보증을 하는 기관이 서울보증보험이면 MCI, 한국주택금융공사이면 MCG입니다. MCI는 보증료를 은행에서 부담하지만 그만큼 은행대출금리가 조금 높은 편이며, MCG의 경우 고객이 보증료를 부담하게 됩니다. 참고로 디딤돌이나 보금자리론등 정책상품에서 가입하는 방 공제는 모두 MCG입니다.

4)주택 담보대출 대출 한도 구하는 방법

①집 가격을 알아야한다

본인이 대출 한도를 얼마나 받을 수 있는지 알려면 먼저 집의 가격을 알아야 합니다.

물건의 종류에 따라 다르지만 아파트를 기준으로 하면 'KB 시세'를 따르게 되어있습니다. 하지만, 아파트 외에 연립이나 오피스텔 등은 시세가 없기 때문에 이런 경우 공시지가, 분양가, 최근 거래가, 감정가 등 은행 내부에서 정한 순서대로 가격을 평가하여 적용하게 됩니다. 이렇게 정해진 주택 가격에서 LTV(담보인정비율)를 곱하면 담보대출을 받을 수 있는 최대한도가 나오게 됩니다. 물론 원칙적으로는 여기서 방공제를 한 만큼 차감이 되지만 MCI라는 보증보험을 가입하면 그 금액만큼 차감하지 않아도 됩니다.

②대출 한도의 가장 큰 장벽은 DSR 이다.

현재 주택담보대출을 받을 때 가장 큰 장애물은 DSR입니다. 가계대출이 1억원이 넘는다면 주택담보대출 뿐만 아니라 모든 대출의 원리금 상환액을 연봉으로 나누었을 때 DSR 40%가 초과 되면 대출이 불가합니다.

이 부분은 본인의 정확한 소득정보와 신용정보조회 동의서가 있어야만 은행에서도 정확한 산출이 가능한데, 본인 연소득의 7배 정도까지의 금액이 DSR 40%에 근접하기 때문에 대략적으로 계산해 볼 수 있습니다. 물론 여기에 본인이 신용대출이 있는 만큼 금액 한도 금액이 줄어들 수 있기 때문에, DSR 비율을 낮추고 싶다면 우선적으로 신용대출을 상환하는 것이 유리합니다. 이렇게 DSR까지 계산이 끝나서 40%가 넘어가지 않는다면 그 만큼이 나올 수 있는 대출

한도가 됩니다.

참고로 내집 마련 디딤돌 대출과 보금자리론 상품은 DSR을 보지 않습니다. 대신 더 약한 규제라고 할 수 있는 DTI만을 확인하게 됩니다. DTI는 대략적으로 2천만원의 소득이 있는 자가 대략 2억까지도 가능하며, DSR보다는 그 규제의 정도가 약하다고 할 수 있습니다.

5)뱅대리의 주택담보대출 BEST Q&A

5-1)주택담보대출을 할 때 나가는 비용이 얼마인가요?
-은행에서 주택담보대출을 할 때 나가는 비용은
①인지세 ② 채권매입할인비용 그리고 혹시 방공제 보증보험 가입을 했다면 ③MCG보증보험 비용까지 나가게 됩니다.
인지세는 재산변경이 생겼을 때 국가에 납부해야 하는 세금이라고 보시면 됩니다.
5천만원까지는 비과세이지만 5천만원~1억은 7만원, 1억에서~10억까지는 15만원 인데 은행과 고객이 반반 납부하게 됩니다.
채권매입할인비용의 경우 은행에서 보통 대출금액의 110%를 근저당 설정을 하게 되는데 이 근저당 설정된 금액을 채권최고액이라고 표현합니다. 그리고 이 채권최고액의 1%를 채권매입하게 됩니다. 채권은 매입하면 5년간 팔지 않고 보유할 수 있지만 보통 그 금액이 크기 때문에 보유하는 사람은 거의 없고 바로 매도하는 경우가 대부분입니다. 이걸 할인이라고 부릅니다.

참고로 말씀드리면 은행 대출에 필요한 위에 내용을 제외하고도 별도로 드는 비용이 더 있습니다. 소유권을 이전하는데 드는 비용 그리고 소유권 이전을 하면서 사는 채권매입할인비용과 인지, 증지대 그리고 취득세와 법무사 수임료까지가 주택을 매매하면서 드는 비용입니다. 이 부분들은 보통 은행과 협약된 법무사가 등기 진행을 하면서 고객에게 비용안내 및 진행을 하게 됩니다.

5-2)1금융권과 2금융권의 차이는 뭔가요??

-제1금융권은 '은행'이라는 표현이 붙은 곳을 1금융권이라고 생각하시면 됩니다. 국민은행, 신한은행, 우리은행, 하나은행, 카카오뱅크, 케이뱅크 모두 1금융권입니다.

농협과 수협은 좀 나뉘는데 농협은행, 수협은행 등 중앙회의 경우 1금융권이고 지역이름이 붙는 부평 농협 등은 지역 농협이므로 2금융권으로 분류됩니다.

이 외에도 보험사, 증권사, 저축은행 등은 모두 2금융권으로 이해하면 됩니다.

상담을 하시면서 2금융권에 대한 막연한 두려움을 가지고 계신 분들이 많은데 그 부분은 크게 걱정하실 필요 없습니다. 사실상 2금융권을 사용한다고 신용등급이 더 크게 하락하는 것도 아니며, 신용등급에 제일 중요한 것은 연체 없이 대출을 잘 갚아 나가는 것입니다. 2금융권의 장점은 DSR도 10% 여유가 더 있고 심사에도 진입장벽이 1금융권보다는 낮기 때문에 이런 부분을 잘 활용하시는 것도 좋습니다.

5-3)추가대출을 할 때 기존에 받았던 곳에서 하는 것이 유리한가요?

-가령 국민은행에서 1억원 대출을 받은 사람이 5천만원을 갚은 상태에서 1억원을 더 대출 받으려고 한다면, 대출 한도를 구할 때 기존에 남은 대출잔액 5천만원만 차감을 하지만, 이 사람이 신한은행에서 추가 대출을 받으려고 한다면 남아있는 5천만원이 아닌 처음 근저당 설정금액인 1억 1천만원을 차감한 상태에서 대출 한도를 구해야 합니다. 물론 감액 등기를 하고 진행할 수 있는 부분이지만 이런 경우 기존 은행에 중도상환수수료와 감액 등기 비용등이 발생하므로 새로 옮기려는 은행의 금리와 득과 실을 따져서 결정해야 합니다.

5-4) DSR 규제 때문에 소득이 부족한데 배우자의 소득도 합산이 가능 한가요?

-가능합니다. 다만 이 경우 배우자의 부채도 함께 합산되게 됩니다. 배우자의 소득보다 부채가 더 많다면 오히려 소득을 합치는 것이 도움이 안 되는 상황이 됩니다. 한 가지 추가로 말씀을 드리자면 본인이 소득은 전혀 없는데 배우자의 소득만으로 집을 구매하는 것은 DSR 규제 회피목적으로 볼 수 있어 불가능합니다. 하지만, 이 경우에도 구입 자금이 아닌 본인 집을 담보로 대출을 받는 경우엔 가능합니다.

CH4 . 여러분의 은행가는 시간을 저금해 드립니다 (Q&A 모음집)

제가 온라인 채널 뱅대리의 상담창구를 시작했었던 가장 큰 이유는 많은 분들이 작은 질문 하나를 위해 휴가나 연차를 쓰면서까지 은행에 시간을 내어 방문 하시는게 안타까워서 였습니다. 1년 6개월이라는 시간 동안 많은 구독자 분들께 온라인 상담을 진행하며 소통해왔습니다. 그리고 그 시간 동안 제가 받은 수천건의 상담 받은 질문과 댓글로 대답한 내용들을 모아 이 챕터에 담았습니다.

"시간은 돈보다도 소중한 가치라고 생각합니다.

여러분의 은행가는 시간을 저금해 드리겠습니다."

1. 전세대출(버팀목 대출, 은행 전세대출) 관련 BEST Q&A

(Q1) 안심대출이 정확히 뭔가요??
->전세대출은 보증기관의 보증서를 기반으로 대출 진행이 됩니다. 이때 주택도시보증공사(HUG)가 보증서를 발행하여 진행하는 대출을 안심대출이라고 합니다.
이 대출의 특징은 전세대출을 받는 대출금과 본인이 추후 반환 받을 수 있는 반환보증금 등을 의무적으로 보험에 가입해야만 합니다.

(Q2) 은행에서는 왜 HUG 안심 대출을 잘 안 해주나요?
-> 몇 가지 이유가 있습니다. 사후관리가 까다로운 것도 있지만 HUG 안심대출의 경우 고객의 소득에 상관없이 주택가격과 임대인 그리고 본인의 신용정보만으로 최대한도가 나올 수 있습니다. 그렇기 때문에 소득이 부족한 분들이 많이 찾으시지만 반대로 그만큼의 부실률도 높은 상품입니다. 소득에 기반하여 대출금액이 산정되는 HF주택금융공사 보증서에 비하여 고객 자체의 심사를 더 깐깐하게 할 수 밖에 없는 이유입니다.

(Q3) 전년도 원천징수 영수증이 안 나오는데 소득서류를 어떻게 준비해 가야하나요?
-> 전세대출의 경우 신청일로부터 최근 12개월치 급여명세표 혹은 갑종근로소득세원천징수 영수증을 징구 하시면 됩니다.

(Q4) 버팀목 대출을 받을 때 재직기간이 1년 미만인데 연환산을 어떻게 해야 하나요?
->원칙적으로 소득 발생 기간이 1개월 이상으로 입증된 소득만을 인정합니다.

(Q5)입사한 지 1개월이 지났는데 소득 발생기간 은 1개월이 안 되었어요. 이런 경우도 가능할까요??

->예를 들어 입사를 3월 1일에 하였고 3월 25일에 급여를 수령하였다면 원래는 불가능하지만 대출 신청을 입사 후 1개월 이후인 4월 1일 이후에 하였다면 온전한 한달치 급여로 인정할 수 있습니다.

(Q6) 버팀목 대출을 신청했는데 배우자의 신용등급도 영향을 미치나요??
-> 버팀목 대출의 경우 배우자의 신용상태나 점수는 영향을 미치지 않습니다. 다만, 디딤돌 대출의 경우는 영향을 미칠 수 있습니다.

(Q7)버팀목 대출 상품 간에 대환이 가능한가요?
-불가능합니다. 접수일 기준으로 이용 중인 기금대출이 없어야 합니다.
단. 신혼부부 버팀목 대출에 한 하여는 버팀목 상호간에 대환이 가능합니다.

(Q8)은행전세대출을 버팀목으로 대환이 가능한가요?
-중소기업 취업청년 버팀목 대출을 제외하고는 모두 가능합니다. 다만 대환을 원하는 시점에 버팀목대출의 신청자격과 신청 시기를 충족해야 합니다. 신청 시기의 경우는 신규계약과 갱신계약 두 가지로 나뉘는데요. 신규계약의 경우 잔금 지급일과 주민등록전입일 중 빠른 날로부터 3개월 이내, 갱신계약의 경우 갱신계약일로부터 3개월 이내 신청하면

가능합니다. 이때 갱신계약의 경우 보증금이 동일하거나 감액 그리고 목적물이 동일한 경우에도 가능합니다.

(Q9)은행전세대출이 HUG나 SGI 보증서여도 버팀목대출로 대환이 가능한가요?

-가능합니다. 카카오 뱅크등 인터넷 은행의 전세대출 상품의 경우도 보증서를 담보로 나간 전세대출은 모두 대환이 가능합니다. 다만, 보증서 없이 신용으로만 취급한 전세대출은 대환이 불가합니다.

(Q10)시중은행 전세대출 대환시 대출한도는?

1.신규 계약의 경우

일반가구: 기존 전세자금대출 잔액범위 이내에서 전세금액의 70% 이내

신혼가구,2자녀가구: 기존 전세자금대출 잔액범위 이내에서 전세금액의 80% 이내

2.갱신 계약도 동일

결론: 기존 전세자금대출 잔액 이상 받을 수 없다. 그 이상의 한도를 원한다면 기존 대출을 상환 후 아에 신규로 취급해야 한다.

(Q11) 전세대출을 제2금융권에서 이용 중인 경우 버팀목대출로 대환이 가능한지?

-가능합니다. 중소기업청년 버팀목 대출을 제외하고는 자격요건과 신청시기를 충족하면 됩니다. 대신 위 사례의 경우 자격요건은 둘 중하나에 해당되면 가능합니다.

1.LH,지방공사(채권양도 협약기관에 한함)와 임대차계약을 체결

2.만 34세 이하 및 부부합산 연소득 2천만원 이하인 자

신청 시기는 제한 없음.

(Q12) 임대차계약기간이 2년 미만이거나 초과여도 가능한지?

-2년 미만인 경우는 가능합니다. 하지만, 2년이 초과인 경우 보증기관에 따라 다릅니다. HF(한국주택금융공사)의 경우 가능하지만 HUG의 경우는 공공임대주택을 제외하고는 불가합니다.

(Q13) 오피스텔인 경우(업무시설)로 되어있는데 버팀목 대출이 되나요?

-오피스텔의 경우 주택법상 준 주택 이므로 예외적 인정이 가능합니다.

하지만, 무조건 된다 라기보다는 보증기관별 확인이 별도로 필요합니다.

(Q14) 임대인이 가족이어도 버팀목 대출이 가능할까요?
-임대인이 직계존속일 경우는 불가합니다(배우자의 직계존속 포함). 하지만 형제, 자매의 경우 실질적인 통장 내역 및 은행 간 송금 내역이 있으면 가능합니다.

(Q15)목적물이 신규분양아파트로서 현재 미등기 주택인 경우 버팀목 대출이 가능한지?
-기본적으로 임시사용 승인 후 12개월 이내인 미등기 아파트는 분양계약서, 입주안내문, (임시)사용승인서 사본을 제출하면 신청 가능합니다.
다만 아파트 이외의 물건은 건축물 관리대장을 추가로 확인하며, 미등기 건물에 대해서 보증기관별로 취급기준이 상이하기 때문에 꼭 별도 확인이 사전에 필요합니다.

(Q16) 신혼부부 행복주택에 당첨된 계약자가 버팀목 대출 신청시 신혼부부가 아닌 단독세대주로 신청이 가능한지?
-신청 가능합니다. 전세목적물 입주자격 자체는 대출 신청 자격에 영향이 없습니다.

(Q17) 연장 시점에 세대주가 차주 본인에서 배우자로 변경된 경우 기한 연장이 가능한가요?
-네 가능합니다.

(Q18) 신청인이 기한 연장 시 신용불량자임이 확인된 경우 취급 방법은?

-보증기관별로 연장 시 신용정보조회 기준이 상이하므로 별도로 확인이 필요합니다.

무조건 안된다도 아니고 될 수도 있다 라는 표현이 맞겠습니다.

(Q19)버팀목 대출을 이용 중에 주택을 취득하고 기간을 연장하기 전에 매도한 경우 연장이 가능할까요?

-기간 연장 시점에 주택이 없는 경우에도 대출 기간중 주택을 취득하였으므로 기한이익상실사유에 해당하므로 연장이 불가합니다.

(Q20)버팀목 대출을 이용 중에 유주택자인 배우자와 혼인 후 연장하기 전에 매도한 경우 기한연장이 가능할까요?

-혼인신고 후에도 배우자가 주택을 보유한 경우 연장 불가합니다. 다만, 혼인신고 이전에 주택을 처분한 경우에는 가능합니다.

(Q21)추가대출을 할 때 기준은 어떻게 되나요?

-신청을 하는 시점의 기준으로 신규와 동일하게 심사합니다.

(Q22)추가대출이 가능한지 시기를 판단하는 기준이 있나요?
-현재 집에 전입일로부터 1년이 지나야 합니다.
다만 공공임대주택(LH)의 경우는 3개월이면 됩니다.

(Q23)기존에 받은 상품과 다른 상품으로 추가대출이 되나요?
-신청시점에 자격이 된다면 가능합니다. 다만, 청년전용 보증부월세는 불가합니다.

(Q24)동일한 목적물에서 보증금이 증액되는 경우 추가대출이 가능한 시기는 언제인가요?
-해당목적물에 1년 이상 거주 및 직전 대출받은 날로부터 1년 이상 경과해야 신청 가능합니다. 다만 이때도 공공임대주택 임차인이 월세를 보증금으로 전환하는 경우 3개월 이상이면 가능합니다)

(Q25)다른 목적물로 이사하는 경우에 추가대출 가능 시기는 언제인가요??
-기존 대출 받은 목적물에서 1년 이상 거주해야 합니다. 이사로 인한 경우는 공공임대주택도 1년 이상 거주해야 합니

다.

(Q26)추가 대출을 할 때 대출 한도는 어떻게 계산하나요?
-> 대출 한도는 증액금액 이내에서 가능합니다.
정해진 호당 대출 한도와 신 보증금의 70%(혹은 80%)에서 기존 대출 잔액을 차감한 금액 중 더 작은 금액 입니다.

(Q27)추가대출을 할 때 대출한도는 원래했던 대출 상품 한도까지 가능한가요? 아니면 추가대출 상품 한도까지 가능한가요?
->예를 들어 일반버팀목대출로 받고 추가로 청년 버팀목 대출을 받는다고 한다면 추가로 받는 청년 버팀목대출의 한도인 보증금의 80% 범위 내에서 가능합니다.

(Q28)공공임대 아파트(LH) 계약 갱신 시 기본보증금이 증액되는 경우 추가대출 가능한 대출한도는 얼마인가요?
->증액되는 기본보증금과 전환보증금 포함하여 소요자금으로 산정됩니다.
다만, 이 경우 대출당일까지 전환보증금이 포함된 수정계약서를 제출하셔야 합니다.

(Q29)당사자를 포함한 세대원 중 일부가 전출한 경우에 대

출을 계속 이용 가능한가요?

->계속 이용 가능합니다.
다만, 기한연장 시점에는 차주 분은 전입이 되어있어야만 합니다. 세대원 전원이 전출한 경우에는 기한이익 상실사유가 되어 대출 회수하는 것이 원칙이나 실무적으로 1회에 한하여 예외적 인정을 해주고 있습니다.

(Q30) 소득합산을 할 때 사업소득, 근로소득 모두 있다면 모든 소득을 합산하여야만 하나요?
->네 맞습니다. 모든 소득에 대하여 재직 및 영위사실 확인 후 필수적으로 합산해야 합니다.

(Q31)혹시 비과세 소득은 소득 산정 시 제외되나요?
->비과세 소득도 포함됩니다.
단, 근로소득인 경우 근로소득 원천징수상 식대 실업급여, 야간근로수당등은 제외됩니다.

(Q32)상여금은 소득 산정 시 제외되나요?
->상여금도 포함됩니다.

(Q33)출산휴가와 육아휴직을 반복하는 경우 소득 산정 기

준은 어떻게 하나요?
-> 출산휴가 기간 동안의 소득은 연 환산이 가능합니다. 육아휴직의 경우 최근 3년 이내에 1개월 이상의 소득이 없다면 무직자로 판단합니다.

(Q34)무급휴가 기간은 소득 산정할 때 제외가능한가요?
-> 회사에서 확인한 무급휴가 확인서 제출시 무급휴가 기간 제외 가능합니다.

(Q35) 프리랜서인데 건강보험료 구분이 직장 가입자입니다. 소득을 무엇으로 준비해야하나요?
->개인사업자의 경우 사업소득으로, 법인사업자의 경우 근로소득으로 인정합니다.

(Q36) 연말 정산하는 사업소득자나 프리랜서는 소득 산정을 어떻게 하나요?
->연말 정산하는 사업소득자의 경우 사업소득으로 확인 해야 하며 급여명세표는 인정불가 합니다.

(Q37)올 해 신규 사업을 개시한 경우 소득 확인을 어떻게

해야 하나요?
->최근년도 신고 사실없음 증명원을 받아서 무소득으로 간주해야합니다.
무소득으로 간주되는 경우 디딤돌대출은 소득추정이 가능하지만 전월세 대출은 소득추정이 불가합니다.

(Q38)대출 진행을 할 때 어떤 서류를 보고 무소득자로 판단하나요?
->1.건강보험자격득실확인서상 피부양자로 되어있는 사람 2.세무서의 사실증명원상 납세신고 사실이 없다는 것이 입증된 사람 3.휴직자가 최근3개년동안 1개월이상 소득이 없는 사람 4.신청일 현재 퇴직 또는 폐업한 사람.

(Q39)추정소득인 건강 보험료롤 사용을 하고 싶은데 어떤 경우는 불가한가요?
-> 3개월분이 확인되지 않은 경우 사용 불가합니다. 임의계속 사용자도 가능하지만 전환 후 3개월 이상 납부가 되었어야 합니다.

(Q40)근로소득 입증 시 1개월 소득이 온전한 소득이 아닌 경우 어떻게 환산하나요?
->이 경우 디딤돌 대출과 버팀목 대출이 조금 상이합니다. 재직기간이 1개월 이상이어야 가능한 건 두 경우 모두 같

습니다. 하지만, 구입자금의 경우는 1개월 미만의 소득도 일 환산이 가능한 반면 전세대출의 경우는 온전한 1개월 소득이 있어야만 연 환산이 가능합니다.

(Q41) 갱신계약서를 썼는데 임차보증금이 감액 되었습니다. 보증금이 감액된 만큼 전부 다 대출금을 상환해야 하나요??
->그렇지 않습니다. 보증금이 감액되었어도 현재 받은 대출금액 이하가 아니라면 상환하지 않아도 됩니다.
가령 1억 5천에 70%인 1억 5백을 대출 받았는데 보증금이 3천 만원 감액되었다면

따로 대출금을 상환할 필요가 없습니다.

(Q42) 버팀목 대출은 아니고 은행 재원의 전세대출을 사용중인데 임차보증금이 감액되었습니다. 그리고 이번에 이사를 가는데 이자가 비싸서 다른 은행의 상품으로 대환이 가능할까요?
->이런 케이스의 경우 현재 시점으로 말씀드리자면 금융기관마다 차이가 있습니다.
대부분의 시중은행에서는 이런 케이스가 취급이 불가능합니다. 현재 농협과 기업은행의 경우는 은행 내규에 의해 대환 신청이 가능합니다.
하지만, 이 부분은 시기에 따라 유동적일 수 있는 부분입니

다.

Q43) 버팀목 대출을 사용 중에 이사를 가게 되었습니다. 제가 어떻게 하면 될까요?
->원래대로라면 이사를 가는 물건지가 대출을 계속 사용하는데 문제가 없는 곳인지 사전에 은행에 상담을 받으시는 게 맞습니다. 하지만 이미 이사를 하셨다면 이사를 하신 곳에 전입하신 등본과 확정일자를 받은 새로운 계약서를 가지고 은행에 조건변경신청을 하시면 됩니다.

(Q44) 신축 미등기 아파트의 경우 버팀목 전세대출이 불가한가요?
-> HF버팀목 대출의 경우 입주안내공고문, 임시사용승인서, 임대인의 대출완납영수증등을 첨부하는 조건으로 진행 가능합니다. 하지만, HUG로 진행하는 경우 임대인이 공공임대주택 사업자(LH등)가 아닌 이상 불가능합니다. 좀 더 세부적으로는 보존등기가 나와 있는는 상태라면 위에 HF와 같은 조건으로 가능합니다. 하지만 그 외에는 전부 불가능 합니다.

2.[청년전용버팀목] 관련 Q&A

(Q1)청년 버팀목 연장을 하는 시점에 청년의 나이가 초과됩니다. 연장이 가능할까요?
-> 연장을 하는 시점에는 나이를 보지 않습니다. 처음 신규하는 시점이 지나면 나이가 초과되어도 계속 사용이 가능합니다.

(Q2)청년 버팀목 대출을 사용하는 중인데 결혼을 하게 되었습니다. 이렇게 되면 기간 연장시에 배우자와의 소득을 합산해서 심사를 하나요?

->그렇지 않습니다. 청년 버팀목 대출을 사용하던 중 결혼을 하여도 배우자의 무주택여부만 확인을 하지 소득을 합산하여 다시 심사하지 않습니다.

(Q3)청년 버팀목 연장을 하는 시점인데 소득이 5천만원을 초과했습니다. 이번에 연장이 불가할까요??
->연장을 하는 시점에 소득을 재심사하지 않습니다. 하지만 보증금의 변동부분에 따라서 금리가 바뀔 수 있습니다.

(Q4)저는 대학생이고 소득이 없습니다. 저의 경우 청년 버

팀목을 받을 수 없나요?
->일단 청년 버팀목의 전체적인 내용을 설명 드리겠습니다. 보증서를 발행하는 기관은 HF(주택금융공사)와 HUG(주택도시보증공사) 두 곳이 있습니다.
보통 은행에서 진행하는 대부분의 청년전용버팀목은 HF보증서 기반인데 이 경우 무소득자가 최대 받을 수 있는 한도는 3300만원이 최대입니다. 이 마저도 은행과 영업점 취급자에 따라 취급이 되지 않을 수도 있습니다. 반면 HUG의 경우 소득을 기반으로 하지 않기 때문에 물건과 임대인에 하자가 없으면 대출 한도가 나오지만 사후관리가 어렵고 부실이 많기 때문에 대부분의 은행에서 취급을 꺼려하고 있습니다. 아에 하지 않겠다고 하는 곳도 많구요.
은행과 청년분들 모두 윈윈할 수 있는 중간 정도 합의점은 반전세를 하면서 3300을 받으시고 월세금액을 최대한 적게 받게끔 계약서를 작성해 오시는 걸 추천 드립니다.

(Q5) 저는 스무살 인데 나이 때문에 청년버팀목 대출 받는데 문제 될 것이 있을까요?
->따로 나이 제한이 될 것은 없습니다. 다만 만 25세미만의 경우 받을 수 있는 평수가 전용면적60으로 제한됩니다.

(Q6) 저는 지금 부모님 집에서 같이 살고 있는데 저희 부모님은 유주택자입니다. 그래도 제가 청년 버팀목 대출을 받을 수 있나요?

->네 가능합니다. 세대주 예정자로 받을 수 있기 때문에 대출을 진행하시고나서 세대주로 전입한 주민등록등본을 제출해주시면 됩니다.

(Q7) 청년버팀목 대출을 사용중 인데 현재 여자 친구가 동거인으로 전입신고를 할 계획입니다. 여자친구랑 아직 혼인신고는 하지 않았지만 유주택자라면 제가 대출을 계속 사용하는데 문제가 될까요?
->연장을 하는 시점에 두 분이 무상거주확인서를 작성하시거나 잠시 여자친구분이 전출을 하셔야 연장 및 대출의 계속사용이 가능합니다.

(Q8) 청년버팀목대출 HF를 받았는데 HUG반환보증보험 가입이 가능한가요?? 꼭 그 지점에서 가입해야하나요?
->전세 반환보증보험의 경우 HF, HUG 모두 가입 가능합니다. 그리고 반환보증은 그 대출을 받은 관리점 에서만 가입 가능합니다.

(Q9) 대출 신청시 에는 재직을 하였지만 심사 중에 퇴직을 할 예정입니다. 이런 경우에도 대출이 가능할까요?
-> 대출 심사 중에 퇴직을 하시게 되면 재직확인을 하는 과정에서 그 사실을 알게될 수도 있고, 심사내용에 변동이 생기면 심사를 무직인 상태로 다시 받게 되어 한도와 금리가

변경될 수 있습니다. 이런 리스크를 감수하지 않으시려면 가능한 심사가 모두 승인된 후 퇴사하시길 추천 드립니다.

(Q10) 청년 전용 버팀목을 2억에 사용중 인데 연장시점에 임차보증금이 3억으로 증대되었습니다. 연장에 문제가 없을까요?
->연장 시점에 수도권은 5억, 비수도권은 3억 이내에서는 가능합니다.

3.[중기청 버팀목] 관련 Q&A

(Q1) 중기청 대출은 다 갚고 나면 다시 받을 수 없나요?? 아니면 제가 갚고 아내가 받을 수는 없나요??
->네. 중기청 대출은 세대 당 1회만 이용 가능하기 때문에 불가능합니다.

(Q2) 저는 중소기업을 다니면서 개인사업도 하고있는데 이렇게 두 개이상의 소득이 발생하는 경우에도 중기청 대출을 받을 수 있나요??
->중기청 대출은 원래 중소기업 취업청년, 중소기업 창업청년 상품입니다.

중소기업 재직이나 청년 창업자 요건 중 1개라도 충족하는 경우 대출 가능합니다. 다만, 1개라도 제한 요건에 해당되면 불가합니다. 대기업, 사행성업종, 공무원, 공기업등에 해당하면 불가합니다.

(Q3) 대체복무하고 병역의무를 이행 중인 경우에도 중소기업 재직중으로 판단하여 대출 취급이 가능할까요?
->취급 가능합니다!

(Q4)재직회사가 중기청 대출이 가능한 회사인지 확인하는 방법은?
->먼저 소속기업 규모는 한국기업데이터 크레탑에서 조회시 기업규모에 대기업으로 표시되어 있지 않으면 됩니다. 사행성 여부의 경우 공사에서 제공하는 사행성 업종 리스트에 포함되어 있지 않아야 하며, 공기업은 공사에서 제공하는 지방공기업, 지방출자 출연기관에 리스트에 포함되지 않는 경우입니다.

(Q5)비영리법인이나 일반 개인사업자의 가계에서 근무하는 사람도 가능한가요??
->가능합니다.

(Q6)재직회사 사업자등록증 사본 징구가 불가능한 경우 징

구생략이 가능한가요?
->고유번호증으로 갈음 가능합니다.

(Q7)필수서류인 고용보험 가입이력내역서 발급이 불가하면 진행이 안되나요?
->건강보험자격득실확인서로 대체 가능합니다. 단, 이것도 불가능하다면 재직증명서와 사업자등록증 사본으로 확인이 가능합니다.

(Q8)청년창업자금 관련 지원을 받은 법인 대표자도 중기청 대출 취급이 되나요??
->청년 창업자 요건으로 신청 가능합니다.

(Q9)중기청 대출 4년을 이용했습니다. 계속 사용을 하고 싶은데 이런 경우 금리가 변경되나요???

->네 맞습니다. 중기청 대출의 경우 최대 사용 가능기간은 4년입니다. 이 후에도 과목이름은 그대로 중기청 대출로 유지되며 금리만 일반 버팀목 대출 금리가 적용됩니다. 이 때 재직하는 회사가 중소기업이 아니어도 상관없으며 소득도 확인하지 않습니다. 그 시점의 보증금에 따라 금리가 결정됩니다.

(Q10)중기청 대출을 사용중 인데 청년 버팀목 대출로 바꾸고 싶습니다. 가능할까요?
->이사를 가면서 보증금이 변경된 금액만큼 추가대출은 가능하지만 대환(갈아타기)는 불가합니다. 만일 청년 버팀목 대출을 원한다면 중기청 대출을 전부 상환하고 신규로 신청을 해야만 합니다.

(Q11)중기청 대출을 사용중에 대기업으로 이직했습니다. 그럼 곧바로 대출을 상환해야 하나요??
->아닙니다. 대기업으로 이직한 경우 연장 시점에 일반버팀목 대출 금리로 변경되지만 바로 상환할 필요는 없습니다.

4.[신혼부부 버팀목] 관련 Q&A

(Q1) 다른 버팀목 전세대출 사용 중 신혼부부 버팀목 대출로 대환 시 보증서 변경이 가능한가요??
->가능합니다. 기존에 HF -> HUG로도 가능하며 그 반대로도 가능합니다.

(Q2)기존 버팀목 대출을 신혼부부 버팀목 대출로 대환하게 되면 대출기간(10년)은 처음부터 다시 기산하게 되나요?
-> 맞습니다. 신혼부부 버팀목 대출로 대환하게 된 실행일로부터 새로 기산됩니다.

(Q3)기존 버팀목 대출을 사용하던 중에 갱신계약 또는 신규계약(이사)시에 신혼부부 버팀목 대출의 대출 한도계산은 어떻게 하나요?
->이사를 가면서 하는 신규계약의 경우 새로운 보증금의 80%까지 가능하며,
갱신계약의 경우 기존 대출잔액 이내에서 갱신 보증금의 80%까지 가능합니다.

(Q4) 청년 버팀목대출을 쓰던 사람이 결혼 후 배우자를 차주로 해서 신혼가구 버팀목대출로 대환이 가능할까요?
->불가능합니다. 대환의 경우 기존 대출과 신규대출 차주가 동일해야만 합니다.
당사자가 대환 해야 합니다.

(Q5) 기존 버팀목 대출을 A은행에서 쓰는 중인데 B은행에서 신혼부부 버팀목 대출을 신청하여 갈아 탈 수 있나요?
->동일 은행에서만 대환이 가능합니다.

(Q6) 저희 부부는 나이가 50대이지만 재혼한 부부입니다. 저희도 신혼부부 생애최초 버팀목 대출이 가능할까요?
-> 가능합니다. 신혼부부 버팀목 대출의 경우는 혼인신고를 한 시점부터 7년 이내까지 나이에 상관없이 자격이 가능한 상품입니다.

(Q7)저희는 신혼부부이고 저의 소득은 3천만원 정도 입니다. 저희가 원하는 대출 한도는 2억을 원하는데요. 신혼부부 버팀목 대출 최대한도를 받으려면 어떻게 해야 하나요?
->신혼부부 버팀목 대출의 HF보증서의 경우 차주 소득의 3.5배 정도가 나옵니다.

그리고 배우자의 소득을 합산하여 진행할 경우 연대보증인 입보신청을 하시면 합산소득의 4배정도까지 나오실 수 있습니다.
만일 이렇게 해도 원하는 한도가 나오지 않는다면 소득에 상관없는 HUG보증서로 신청을 하시는 방법이 있습니다.

(Q8)신혼부부 전세대출을 실행하려고 하는데 세대주가 아닌 배우자도 대출신청이 가능할까요??
->세대주 예정자로 신청 가능합니다.

(Q9)예비 신혼부부입니다. 신혼부부 버팀목 대출을 신청하려고 하는데 유의해야할 사항이 있을까요??

->예비 신혼부부는 3개월 이내에 결혼예정인 청첩장등으로 서류증빙이 가능하며 대출을 진행하시고 꼭 두 분이 합가한 주민등록등본을 3개월 이내에 제출하셔야 합니다.
단 이때 전입은 다른 분들과 마찬가지로 1개월 이내에 하셔야 합니다.

(Q10)신혼부부 전세대출을 받고 싶은데 배우자가 가지고 있는 신용대출이나 마이너스통장이 한도에 영향이 있을까요??
->대출을 받는 차주가 아니시라면 상관없습니다.

5.디딤돌 대출 관련 Q&A

(Q1)디딤돌 대출을 실행하게 되면 기존에 가지고 있던 전세대출을 꼭 상환해야 하나요?
->기존에 받고 있는 대출이 버팀목 전세대출일 경우 무조건 상환을 해야합니다.
하지만, 은행재원의 전세자금 대출인 경우 상환하지 않아도 취급이 가능합니다. 다만 이 때 주의할 점은 디딤돌 대출 심사시에 이 전세대출 잔액이 모두 부채로 잡힙니다.

(Q2) 자산심사 접수하고부터 대출실행까지 얼마나 소요되나요?
->영업점 실무자의 업무량에 따라 다릅니다. 하지만, 전산상으로 최대 빨리할 수 있는 날짜는 자산심사 접수를 하고 30일 안에 대출심사와 승인을 끝내야하며 이 승인을 받은 날짜로부터 30일 이내에 실행까지 완료해야만 합니다.

(Q3) 60세 이상의 부모님(배우자의 부모님 포함)이 집을 소유하고 있으면 가격에 상관없이 무조건 무주택인가요?
->네 주택가격과는 상관이 없습니다. 기간 중에 애매하게 집을 소유하게 되었다면 무주택으로 보는 날의 기준은 대출 접수일 기준입니다.

(Q4) 디딤돌 대출 실행을 했는데 혹시 본인 말고 다른 가족도 꼭 전입을 해야만 하나요??

-> 대출 실행 후 1개월 이내에 전입한 전입세대 열람 내역서를 징구하게 되어있습니다. 이때 배우자 및 다른 가족들의 전입확인 의무는 없습니다. 다만, 결혼예정자의 경우 3개월 이내 배우자로 등재된 등본을 제출받아 결혼 사실을

확인해야 합니다.

(Q5)분양권을 증여 받은 경우에도 디딤돌대출이 가능한가요?
->분양권 증여에 따른 신규는 배우자까지만 가능합니다.

(Q6) 분양권을 전매한 경우 생애최초주택구입자가 아닌게 되나요?
->2018년 9월 13일을 기준으로 그 이후에 전매한 경우는 생애최초가 아닌게 됩니다.

(Q7) 매매계약은 배우자가 했는데 대출은 제가 받을 수 있나요?
->불가능합니다. 대신 공동명의인 경우는 가능합니다.

(Q8) 디딤돌 대출을 실행한 후 중도상환 했습니다. 나중에 이 갚은 만큼 재대출이 가능할까요?
->불가합니다.

(Q9) 디딤돌 대출을 받은 후 결혼하였는데 배우자도 디딤돌 대출을 사용중 입니다.

이때 제한사항이 있나요?
->이런 경우는 제한사항이 없습니다. 가능합니다.

(Q10) 디딤돌 대출을 받은 이후에 자녀를 출산하였는데 우대금리가 적용되나요?
>네 적용됩니다. 은행 영업점에 등본과 가족관계증명서를 지참하여 조건변경 신청을 하시면 이틀 정도 뒤부터 적용됩니다.

(Q11) 디딤돌 대출 부채 산정시에 사업자 대출도 포함해야 하나요?
-> 사업자 대출은 포함되지 않습니다.

(Q12) 소득이 없는 경우에 디딤돌 대출을 아에 받을 수 없나요?
-> 건강보험을 지역 세대주로 납부하고 있다면 가능합니다. 다만 이렇게 추정소득을 사용하게 된다면 집 가격의 최대 60%까지만 가능합니다.

(Q13) 주거용 오피스텔도 디딤돌 대출로 구입이 가능한가요??

-> 불가합니다. 공부(건축물 관리대장 및 등기부등본)상 주택만 가능합니다.

(Q14)대출 실행 후 사후관리 전입확인 시에 꼭 세대주로 전입하지 않은 경우도 전입인정이 가능한가요?
-> 인정 가능합니다. 다만 이런 경우 전입여부 확인이 불가하기 때문에 등본이나 초본을 따로 제출하셔야 합니다.

(Q15)대출 실행 후 1개월 이내 전입을 해야 하는데 전세금을 못돌려받을 까봐 전입을 할 수 없는 상황입니다. 방법이 없을까요?
->이런 경우 실 거주 적용 예외 조건에 해당하여 은행에서 사유서를 적고 2개월 더 전입기간 연장이 가능합니다.

(Q16) 디딤돌 대출을 받았는데 혹시 이사 가면서 다시 디딤돌 대출을 받을 수 있나요??
->원칙적으로 불가능합니다. 다만, 생애주기 대환이라고 해서 미혼 단독 세대주의 경우 25평 및 3억 이하의 집만 가능하게 되어있는데, 이 디딤돌 대출을 받으신 분들의 경우 결혼을 하면서는 대환할 수 있는 방법이 있습니다. 이 경우 34평 및 5억 이하의 집으로 신청할 수 있습니다.

(Q17) 회사를 재직한 지 1개월은 넘었는데 온전한 1개월치 급여는 아직 받지 못했습니다. 이런 상황에서도 신청이 가능할까요??
->버팀목 대출과 다르게 디딤돌 대출은 온전한 1개월치 소득이 없어도 일 환산 소득이 가능합니다. 재직기간이 1개월 이상이시면 가능합니다.

(Q18)청약저축 금리 우대는 제가 아닌 배우자의 것도 가능할까요? 이미 해지된 것도 포함되나요?

->청약저축 금리우대는 배우자의 것도 가능합니다. 해지된 경우는 본 물건지에 청약 당첨이 되신 경우에 한하여만 가능합니다.

6.신생아특례대출 관련 Q&A

(Q1) 신생아특례대출로 갈아타려는데 중도상환 수수료가 나오나요?
->특례보금자리론과 다르게 신생아 특례대출은 중도상환 수수료 감면이 불가합니다.

(Q2) 미혼모나 미혼부의 경우 배우자도 반드시 내점해야 하나요?

->배우자의 자산심사, 무주택, 소득합산이 필수이기 때문에 내점해야 합니다.

(Q3) 신생아의 경우 반드시 합가해야 하나요?
-> 합가 하는 것이 필수는 아닙니다.

(Q4) 신생아 기준 가족관계증명서상에 부 또는 모가 없으면 대출이 불가한가요?
->아닙니다. 차주 한명 기준으로 진행하면 됩니다.

(Q5) 사실혼 관계인 상태이거나 이혼한 상태여도 나머지 부모 한명도 서류작성을 하러 은행에 내점해야 하나요?
->신생아의 가족관계증명서상에 부모로 나와 있다면 내점해야만 합니다.

(Q6) 기존에 특례보금자리론으로 이미 대환을 한 경우에도 다시 신생아 특례 디딤돌 대출로 대환이 가능할까요?
-> 횟수와 무관하게 현재 보유중인 구입자금대출이 소유권 이전일로부터 3개월이내면 가능합니다.

(Q7) 일반 버팀목대출을 쓰는데 신생아 특례 버팀목대출

추가대출이 가능할까요?
->가능합니다. 최초 실행한 일반버팀목 대출로부터 10년간 사용 가능합니다.

(Q8) 기존에 사용하던 은행 전세대출이나 버팀목 대출을 신생아 특례 버팀목대출로 대환이 가능한가요?
->가능합니다. 다만, 기존에 사용하던 대출의 잔액 범위내에서만 가능합니다.
모든 버팀목 및 은행 전세대출이 가능하지만 전세피해 임차인 버팀목의 경우는 불가합니다.

(Q9) 일반 버팀목 대출이랑 다른 게 무엇인가요?
->기본적으로 자격조건과 금리 적용되는 부분 말고는 일반 버팀목 대출과 진행되는 틀은 같습니다

(Q10)지금 사용하고 있는 은행 전세대출이 1년 정도밖에 되지 않았는데 신생아 특례 버팀목대출로 대환이 가능할까요??
-> 가능합니다. 신청 시기가 중요한데 신규 시점이 아니기 때문에 이런 경우는 갱신시점으로 신청을 하셔야하며 집주인과 갱신 계약서를 2년으로 새로 작성하시고 그 시점부터 3개월 이내 신청가능 합니다.

7.주택담보대출 관련 Q&A

(Q1) 담보대출을 받으려고 하는데 되는지 안 되는지 상담 받으려면 은행에 뭘 들고 가야 하나요?
-> 집을 구입하시려는 거면 그 집 매물에 대한 정보와 본인의 등본, 소득자료 이렇게만 준비해 가셔도 대략적인 한도와 금리를 알 수 있습니다.
본인 집을 담보로 대출을 받으시는 경우에도 등본과 소득자료를 가지고 가시면 대략적인 한도와 금리 파악이 가능합니다.

(Q2) 아파트 청약에 당첨되었는데 저는 언제 어떤 대출을 받으면 되는 건가요??
-> 청약에 처음 당첨이 되면 보통 10%정도 계약금을 지불해야 합니다. 이때 계약금은 따로 대출이 없어요. 본인 자금으로 하시거나 마련이 안 되었다면 신용대출로 충당하셔야 합니다.
그 후 분양하는 아파트(시공사)에서 선정한 은행에서 중도금 대출을 진행하는데 이때 중도금 대출을 신청하시면 총 자금의 60%정도까지를 받을 수 있어요.

그리고 우리가 생각하는 대출을 받는다의 개념은 잔금을 말하는데 입주 날로부터 1~2개월 전에 집단으로 그 아파트를 대출 하려는 은행들이 조건을 제시하게 됩니다. 그 조건에 가장 맞는 곳을 선정해서 진행을 하시면 됩니다. 잔금으로 최대 받을 수 있는 금액은 70%~80% 정도인데 그 자금으로 중도상환 수수료를 상환하셔야 합니다. 그러니 잔금 때도 총 자금의 최소 20% 정도는 본인 자금이 마련되어있어야 합니다

(Q3) 집 담보대출 받으려면 무조건 가족들이 다 은행에 와야 하나요?
->꼭 그렇지는 않습니다. 원칙적으로 등본상 세대원 모두의 동의서를 받아야 하기 때문에 오셔야 하는 게 맞습니다.
하지만, 모바일 동의로 진행이 가능하며 구입을 하는 자금은 대출한도의 10%를 차감하는 조건으로 세대원들의 동의를 생략 가능합니다.

(Q4) 내 소유의 집이 있어도 소득이 아예 없는 주부의 경우 대출이 불가한가요?
->사실 증빙할 수 있는 소득이 없다면 추정소득(건강보험료) 혹은 신고소득(신용카드 사용액)등으로 소득을 이용할 수 있습니다. 다만, 은행마다 규정상 아예 소득이 없는 경우에는 이 신고소득을 사용할 수 없게 되어 있는 경우도 있으니, 이 부분은 취급하는 금융기관에 먼저 확인을 해보셔야 합니다.

(Q5) 저는 소득이 없지만 배우자는 소득이 있습니다. 배우자의 소득으로 제가 집을 살 수 있나요??

->현재 주택담보대출의 가장 큰 규제는 DSR 이라고 볼 수 있습니다. 소득대비 부채상환액을 수치화 한 것인데 이게 40%를 넘어가면 대출이 불가합니다. 본 케이스는 이런 규제를 회피하기 위한 용도로 악용될 소지가 있어서 할 수 없습니다.

다만, 집을 사는게 아닌 본인 집을 담보로 대출을 받는 경우에는 가능합니다.

(Q6) 집을 사려고 하는데 집값의 어느 정도까지 대출이 되는 건가요?

>본인이 무주택자인지, 1주택자인지, 2주택자인지에 따라 집값의 살 수 있는 비율인 LTV가 달라집니다.

현재 무주택자 중에서 생애최초로 집을 사는 사람은 집값의 최대 80%까지 받을 수 있습니다. 생애최초가 아닌 무주택자는 70% 그리고 1주택자 이상의 경우 60%라고 보시면 됩니다.

현재 정책상 규제지역은 서울 강남3구와 용산구만 포함이 되어있으므로 이 곳을 제외한 모든 지역은 같다고 보시면 되겠습니다.

(Q7) 집을 사려고 하면 얼마 정도 제 돈이 있어야 하나요?

-> 집값의 최대 대출 가능금액이 보통 60%~80%이기 때문

에 본인 자금이 20%~40%는 있어야 합니다. 이 때 남은 자금을 신용 대출로 융통이 가능한지 물어보시는 분들도 있는데 이론상 가능은 하지만 현재 DSR이라는 규제로 인하여 정말 소득이 많으신 분들이 아니고는 현실적으로 불가능합니다.

8.자산심사 관련 Q&A

(Q1) 기금 이든든에서 자산심사 적격판정을 받았습니다. 대출 통과가 된건가요?
->아닙니다. 기금 이든든을 통한 적격판정은 말 그대로 자산심사만 통과했다는 의미입니다. 모든 대출 심사는 적격판정을 받은 이후에 영업점에서 진행하게 됩니다.

(Q2) 자산을 산출하는 기준은 어떻게 되나요?
->대출을 신청하는 사람과 배우자의 부동산, 자동차, 일반자산, 금융자산의 합계에서 부채를 차감한 순자산 가액을 기준으로 합니다. 예를 들어 자동차가 3천만원인데 할부잔액이 천 만원이 있다면 순자산 가액은 2천만원이 되게 됩니다.

(Q3) 자산은 어느 시점을 기준으로 보는 건가요?

->비금융자산과 부채는 대출신청을 접수한 날 기준으로 보지만, 금융자산과 부채는 부정수급 방지를 위해 과거 3개월 기준 시점으로 조회하게 되어있습니다.

(Q4) 마이너스 통장도 금융부채에 포함되나요?
-> 마이너스통장과 대부업체의 대출금 등은 금융부채에 포함되지 않습니다.

(Q5)1차 자산심사와 2차 자산심사는 무슨 차이가 있나요?
->1차 자산심사는 수탁은행(우리,국민,신한,농협,하나)의 금융자산과 부채를 보고
2차 자산심사에서는 사회보장정보원(연금저축, 보험, 주식 등)에서 제공하는 금융자산과 부채를 보게 됩니다.

(Q6)등본 상 세대원의 모든 자산심사를 하나요?
->본인 및 배우자 자산만 심사대상입니다.

(Q7) 기간연장 진행시에도 자산심사를 진행해야 하나요?
->기한연장 시에는 자산심사를 진행하지 않습니다.

(Q8)공동지분으로 부동산을 소유하고 있는 경우 자산심사 적용은 어떻게 하나요?
->기준금액에 신청인 및 배우자의 소유 지분율을 곱해서 적용하게 됩니다.

(Q9) 자산심사는 보통 신청하고 몇 일 정도 소요되나요?
-> 평균적으로 신청 후 1~2일 정도 소요됩니다.

(Q10)2차 자산심사는 언제 진행하는 건가요?
->보통 처음 대출 신청한 날로부터 4~6주 뒤에 진행합니다.

---

9. 최신 개정된 내용 Q&A (2024년 4월 현재)

(Q1) 청년전용 버팀목과 중소기업 청년 버팀목대출이 하나로 통합되면 중소기업청년은 우대를 못 받나요??
-> 2024년 4월부로 이 두 가지의 상품이 청년 버팀목이란 이름으로 통합될 예정입니다. 중소기업 취업 청년의 경우 우대금리 0.3%를 받을 수 있습니다.

(Q2) 시중은행의 전세대출 금리가 비싸서 버팀목 대출로 변경하고 싶은데, 이 내용과 관련하여 변경된 것이 있나요?

->대출을 신청할 수 있는 시기가 완화 되었습니다.
기존에 신규계약은 잔금일과 전입일 중 빠른날 로부터 3개월, 갱신 계약의 갱신 계약일로부터 3개월 이내만 취급이 가능했었습니다.

이 부분이 6개월 이내로 완화 되었습니다. 더 많은 분들이 대상이 되신다면 신청 가능해 졌습니다.

(Q3)신생아 특례대출의 경우 대환을 할 수 있는 대상의 범위가 더 확대되었는데, 그럼 정확히 어떻게 바뀐 건가요?
->기존에 대환을 할 수 있는 자금의 경우 소유권 이전일로부터 3개월 이내에 실행된 자금만 가능했습니다. 그래서 가령 최초의 구입자금을 받고 3개월이 지나 특례 보금자리론 등으로 갈아타신 분들은 대상이 될 수 없었는데요. 확대된 대상의 범위에는 이런 분들이 포함됩니다.
'최초 취급된 주택담보대출의 소유권 이전이 3개월 이내'인지 확인하면 두 번째 세 번째 갈아탄 자금들도 대환 범위에 포함됩니다.

CH5. 은행원의 판도라 상자 (Off the record)

은행이라는 곳이 때로는 차갑고 매몰차게 느껴지실 수 있겠지만, 결국 은행도 사람이 일하는 곳입니다. 아무리 힘들고 바빠도 서로의 작은 행동, 말 한마디 한 사람의 마음을 움직일 수 있다는 말씀을 먼저 드리고 싶습니다.
어디서도 알려주지 않는 은행원과 고객 사이의 심리전과 밀당 스킬!
비공식 판도라 상자를 구독자분들께 오픈합니다.

1.대출 승인 확률 높이는 방법

(1)뇌물
커피 한 잔, 박카스 한병의 위력은 생각보다 막강합니다.
안 되는 대출을 되게 만들 수는 없지만 애매한 기준 사이에서 은행원의 마음을 움직이는건 이런 사소한 관계형성 이라는걸 잊지 마세요

(2)선빵
왜인지 느낌상 진행이 잘 안될 것 같으면 먼저 신용카드를 만들겠다고 말해보세요. 아직까지도 신용카드 실적은 모든 은행원들의 평생 숙제입니다.

그런데 이렇게 말해도 시원찮아하면 차라리 원하는 실적이 무엇인지 역으로 물어 보는 것도 좋습니다. 왜냐하면 은행의 실적은 그때의 상황에 따라 필요한 과목이 다를 수 있기 때문입니다. 가려운 곳을 먼저 긁어 주는 것도 방법입니다.

(3)첫인상
이쪽 업계에서 관상은 과학이라는 말까지 있습니다. 하루에 많게는 새로운 사람을 수십명 상대하다보니 첫 느낌이나 관상만으로 어느 정도 통달하는 수준까지 되는 것 같아요. 그래서 가능하면 웃으면서 예의바르게 말하는 것이 좋습니다. 좋은 인상으로 보여서 본인에게 나쁠 건 하나도 없기 때문입니다. 매너가 좋고 친절한 고객은 최대한 도와주고 싶은게 사람의 마음입니다.

2.은행 대기시간 줄이는 방법

(1)예약 시스템 활용
아직 많은 분들이 잘 모르시지만 우리나라도 외국처럼 은행에 방문상담 예약을 잡아놓고, 그 시간에 가서 상담을 받을 수 있게 되어 있습니다.이 시스템은 각 은행 사이트나 어플에서 신청이 가능합니다. 공과금을 납부 하거나 월말같이 바쁜날 가게 되면 하루 종일 은행에서 시간을 다 버리는 수가 있으니 그런 때 활용하면 좋습니다.

(2)점심시간을 피해서 간다.
일반회사원들과 다르게 은행원들은 교대근무를 할 수 밖에 없습니다. 일반적으로 11시부터 1시 사이에 점심교대가 이루어지기 때문에, 인원이 적을 때가면 당연히 창구가 밀릴 수밖에 없습니다. 그때밖에 시간이 안되시는 분들은 어쩔 수 없겠지만 가능하면 이 시간을 피해서 가는 것이 좋습니다.

(3)오픈런을 할 거면 확실하게 해라
9시쯤 가면 아무도 없겠지? 라고 많이들 생각 하시는 것 같습니다. 그리고 급한 마음을 가지신 분들은 그 시간대에 몰려오시죠. 인간은 대부분 비슷한 생각을 하고 있구나 라는 걸 자주 느낍니다. 어설프게 9시~9시 반 정도에 오면 그냥 10시에 오는 사람과 비슷하게 기다리게 되는 경우가 많아요. 아에 오픈런을 할거면 차라리 조금 더 부지런하게 움직여서 셔터 올라가기 직전에 가시는 걸 추천 드립니다.

3.은행방문 횟수를 줄이는 방법

(1)서류 준비
서류준비만 잘해가더라도 한 두 번의 방문횟수를 줄일 수 있습니다. 가기전에 유선통화나 인터넷을 통하여 최대한 서류를 잘 준비해 가는 것이 좋습니다. 잘 모르겠으면 차라리 아리까리 한 서류들을 전부 들고 가세요.

(2)비대면 진행

신청부터 약정서 작성까지 이제 대부분의 업무가 비대면으로 가능해졌습니다.

서류작성부터 준비하는 과정까지 가능하면 비대면으로 하는 방법을 지금부터라도 배우고 익혀야 합니다.

(3)대출 상담사 활용

대출상담사를 활용하면 본인이 원하는 시간과 장소에서 서류작성을 할 수도 있고, 개인적으로 궁금한 질문도 일 대 일로 상담이 가능합니다. 은행 직원은 아니지만 은행과 협약된 회사의 상담사이니 자격조건만 철저히 확인하시고 잘 활용하시면 시간을 아낄 수 있습니다.

4.은행원의 실적권유 기분 안 나쁘게 거절하는 방법

(1) 사정이 어려 워요

지금 사정이 너무 어려워서 힘든 시기가 지나면 꼭 앞에 계신분 실적으로 해주겠다고 하세요. 말이라는게 아 다르고 어 다르기 때문에 이렇게만 말해도 서로 기분 나쁘지 않게 마무리 할 수 있습니다.

(2) 이거라도 해 드릴게요

비용이 들지 않아도 분명 도움 되는 실적들이 있습니다.

내가 신용카드나 펀드는 죽어도 가입하기 싫어도 청약 저축이나 스마폰 뱅킹 사용등은 크게 부담이 되지 않는다면 차라리 그런 실적들을 먼저 해주겠다고 말하며 공수전환을 하세요.

(3)칭찬 글

실적 대신 칭찬글을 써주겠다고 말해보세요. 은행원에게 CS는 굉장히 중요한 지표입니다. 오히려 실적으로 도와주는 것보다 더 큰 자존감을 세워주는 일이 될 수 있으니 상품 가입이 하기 싫다면 이 방법을 적극 활용 해보세요.

5.불친절한 은행원에게 감정싸움 안 하고 대처하는 방법

(1)혹시 오늘 무슨 기분 나쁜 일 있으세요?

일단 이렇게 말을 하면 '니가 지금 기분나쁜 티 엄청 내고 있어서 나한테도 영향이 있거든?'이라는 시그널을 상대방에게 무례하지 않은 방법으로 전달할 수 있게 됩니다. 그럼 적어도 그 행원은 본인이 감정적으로 행동하고 있지는 않았는지 생각해 볼 수 있는 계기가 될 거에요.

(2)명함 좀 주세요

고객이 명함을 달라고 하는 경우는 3가지 중에 하나입니다. 추후에 더 물어볼게 있을 것 같아서 챙겨가는 경우! 이름을 기억해서 민원을 넣거나 칭찬글을 써주려는 경우인데 이중

칭찬 글을 써주려고 명함을 달라는 사람은 거의 없습니다. 본인이 친절하게 응대를 하지 않았을 때 고객이 명함을 달라고 하면 직감적으로 불친절 민원이겠구나라는 생각을 하게 되어있습니다.

(3)본사 고객 만족 팀 번호 알려 주세요
이것도 둘 중에 하나입니다. 내가 지금 당신한테 너무 고마워서요 아니면 당신한테 너무 화가 났어요 인데요. 전자의 경우는 거의 없다고 봐도 무방합니다. 이렇게 고객이 물어보면 일을 크게 만들고 싶지 않아서라도 본인의 불친절했던 응대에 대해 사과를 하게 됩니다.
감정을 소모하지 않고 지혜롭게 사과를 받아내는 방법 정도라고 생각하시고 알고 계시면 도움이 될 것 같습니다.

---

6. 대출 거절을 당했다면 꼭 알아야 하는 세 가지

(1)왜 거절됐는지 사유를 알아야 합니다
무슨 이유로 대출이 거절 되었는지 알아야 그 약점을 보완할 수 있습니다. 가령 본인도 모르는 좋지 않은 금융습관 때문에 계속 문제가 되는 거라면, 다음번에도 똑같이 거절될 확률이 크기 때문입니다.

(2)다른 은행에서는 되는 경우가 있습니다
은행별로 기존 고객보다 신규 고객에게 베네핏을 주는 경우가 있습니다. 지금 거래하는 은행의 과거 연체기록 등으로 인하여 오히려 불리한 상황이 될 수도 있습니다. 큰돈을 융통해야 할 때는 차라리 다른 은행으로 주거래를 옮기는 것도 좋은 작전 중 하나입니다.

(3)다른 은행원에게 상담하면 될 수도 있습니다
아에 불가능한 것을 가능하게 할 수는 없습니다. 하지만, 상황에 따라 실무자의 판단이 매우 중요한 때가 종종 있습니다. 아에 안 되는 쪽으로 노력하려는 실무자가 아닌 되는 방향으로 노력해주는 실무자를 만나면 승인이 날 확률이 높아진다. 가령 감정평가를 더 높게 받는다던가 신용등급을 올릴 수 있는 방법을 논의해보던가 하는 방식으로 어떻게든 해결을 해주려고 하는 은행원도 분명 있습니다. 보통은 사업자나 법인대출의 경우 이런 케이스들이 많습니다.

7.은행원 티 나지 않게 괴롭히는 방법

(1)계속 틀리게 작성 한다
은행의 서류는 대부분 한 획만 틀려도 서류를 처음부터 다시 받아야 합니다. 계속 한 글자씩 틀리게 쓰는 행위는 그냥 은행원 똥개훈련 시키는 방법이라고 생각하셔도 됩니다.

(2)같은 말을 계속 물어 본다
창과 방패의 싸움이 계속되면 방패가 뚫리지는 않아도 마모되게 되어있습니다.
이런 고객과 길게 상담하느니 은행원 입장에서는 차라리 쌍

욕 한번 먹는게 낫다고 생각하게 됩니다.

(3)모든 기억을 리셋 시킨다.
비밀번호도 모르고 보안 매체도 잃어버리고 인증서도 모르는 건망증 대마왕 고객은 은행원이 가장 기피하는 유형의 고객입니다. 이런 고객을 응대하다보면 멘탈이 리셋 되는 경우가 있습니다.

---

8. 고객이 가장 많이 하는 착각 세 가지

(1) 오래 거래하면 왕이라고 생각 한다
은행은 30년 입출금통장만 쓴 고객보다 3일 전에 새로 거래를 시작한 사람에게 더 관대한 경우도 많이 있습니다. 오래 거래한사람 입장에서는 서운할 법하지만 결국 누가 더 수익을 안겨주느냐로 왕을 판단합니다.

(2) 내가 누군지 알아 유형?
은행원들은 당신이 누군지 모릅니다. 그리고 솔직히 알고 싶지도 않습니다. 그냥 돈 많이 빌려 가서 이자 잘 갚고 원하는 상품을 가입해 주는 고객만 알고 싶어 합니다.

(3) 지점장 나오라 그래
그렇게 소리 지르면 사과하는 시대는 끝났습니다. 일단 지점장들도 영업 다녀야 해서 지점에 없을뿐더러 그렇게 소리 지르면 요즘엔 지점장이 아니라 진짜 경찰이 출동할 수도 있습니다.

---

9. 앞에 고객이 없는데 은행원이 손님을 안 받는 이유

(1) 그들만의 치열한 눈치싸움
일반 사무직과는 다르게 은행은 팀으로 운영됩니다. 그래서 내가 하지 않으면 옆에 사람이 해야 하는 시소게임 같은 업무구조입니다. 손님을 호출하는 번호표가 곧 나의 일거리이고 야근 거리가 되는 구조입니다. 정말로 서로를 배려하는 정상적인 사람들끼리의 만남이 아니라면, 번호표를 누르는 것 자체가 치열한 눈치싸움의 향연이라고 봐도 무방합니다.

(2) 진짜 숨도 안 쉬고 일하는 중
앞에 손님이 없어도 은행원은 정말 할 일이 많습니다. 모든 전산 작업은 사람들의 생각보다 대부분 수기작업이며 수시로 전화까지 주고받는 업무를 병행해야 합니다. 게다가 업무 시간중에 그 양을 다 끝내지 못하면 전부 야근을 해야 되죠.
앞에 주임, 계장, 대리 직급의 직원이 누가 봐도 정신없는 표정으로 일하고 있다면, 조금만 기다려주세요. 지금 그 직원은 스트레스 받아서 죽기 직전의 상태일 확률이 매우 높습니다.

(3) 그냥 일하기 싫음
은행은 호봉제이고 직급이 달라도 창구에서 같은 일을 하기 때문에 월급 루팡이 꽤 많습니다. 루팡들의 특징은 턱을 괴고 마우스를 2초에 한번 딸칵 하며, 눈에 초점이 흐린편이며, 타성에 젖은 관리자나 책임자급 꼰대들이 많은 편입니다. 이런 사람들한테는 가서 혹시 업무 안 하시냐고 물어봐야 그때야 해주는 경우가 많으니 상황을 보고 직접 용기내어 얘기해보는 것도 추천 드립니다.

10.은행원 친구를 두면 좋은 이유

(1) 자산 포트폴리오 완성
요즘은 많이 없어 졌지만 특히 신입 때는 지인 영업에 대해 실적압박을 받는 경우가 많습니다. 그러다 보니 친구들에게 부탁을 하게 되고, 친구의 부탁을 들이주다보면 본인도 모르는 사이에 자산 포트폴리오가 완성되어있게 됩니다.

(2)돈 관련 정보를 남들보다 빨리 알 수 있다.
돈이 융통되는 곳에는 돈과 관련된 정보가 있기 마련입니다. 은행원 친구가 있으면 돈 관련 좋은 정보를 남들보다 빨리 접할 수 있습니다.

(3)큰 돈을 은행에서 빌려야 할 때 도움이 됩니다.
나중에 큰돈이 필요해서 은행의 도움을 받아야 할 때 은행원 친구가 있다면 조금 더 유리한 방법을 제시해줄 수 있습니다. 지금은 크게 와 닿지 않을 수 있지만 실제로 그런 상황이 되었을 때는 든든한 아군이 되어 줄 수 있습니다.

11.본인들만 모르는 은행원이 싫어하는 손님 유형

(1)동전 손님
은행에서는 동전을 달가워하지 않습니다. 일단 수익에도 도움이 되지 않을뿐더러 일일이 그 돈을 세어야 하고, 심지어 일정 한도가 초과 되면 돈을 줘가면서 한국은행에 보내야만 합니다. 한푼 두푼 열심히 동전을 모아오는 고객한테는 미안하지만 싫어하는 유형의 손님입니다.

(2)돼지 저금통
정말 이쁘게 저금해온 돼지저금통을 자랑스럽게 보여주는 고객의 표정과는 대조적으로 은행원에게는 정말 하기 싫은 유형의 업무입니다. 지폐계수기는 구겨진 지폐를 세지 못하기 때문에 수작업으로 지폐를 다 펴야 하고, 그 돈을 따로 보관해야 하는 수고를 해야 합니다. 돼지저금통 손님은 울면서 겨자 먹어야 하는 기분으로 처리할 수 밖에 없는 이유입니다.

(3)3시 59분에 오는 손님
고객 입장에서는 짜릿한 기분이 들겠지만 은행원 입장에서는 추가시간에 자살골 먹은 기분입니다. 어디서나 마찬가지겠지만 마감 직전에 들어오는 손님만큼 미운 경우가 없죠.

---

12. 대출이자 깎는 정석

(1)금리인하 요구권을 신청 한다.

(2)은행 거래실적을 통해 네고도 가능하다. (하지만, 은행원이 할 수 있는 것은 가산이자뿐)

(3) 현재 상품을 없애고 다시 만드는 것도 하나의 방법이다. 기존 상품은 구조 자체가 예전 시스템으로 되어있어서, 가산이자가 바뀌어도 크게 바뀌지 않습니다. 차라리 이런 경우엔 현재 상품을 해지하고 새로 신규 하는 것도 방법입니다.